CB061726

eduardo barão • pablo fernandez

# EU SOU **RICARDO BOECHAT**

2ª impressão

PANDA BOOKS

© Eduardo Barão e Pablo Fernandez

Diretor editorial
*Marcelo Duarte*

Diretora comercial
*Patth Pachas*

Diretora de projetos especiais
*Tatiana Fulas*

Coordenadora editorial
*Vanessa Sayuri Sawada*

Assistente editorial
*Olívia Tavares*

Capa
*Vanessa Sayuri Sawada*

Diagramação
*Victor Malta*

Foto de capa
*Eduardo Knapp/Folhapress*

Preparação
*Beatriz de Freitas Moreira*

Revisão
*Ana Maria Barbosa*

Impressão
*Lis Gráfica*

---

DADOS INTERNACIONAIS DE CATALOGAÇÃO NA PUBLICAÇÃO (CIP) DE ACORDO COM ISBD

Barão, Eduardo
Eu sou Ricardo Boechat/Eduardo Barão, Pablo Fernandez. – 1. ed. – São Paulo: Panda Books, 2019. 208 pp.

ISBN 978-85-7888-746-9

1. Biografia. 2. Ricardo Boechat. I. Fernandez, Pablo. II. Título
Bibliotecário: Vagner Rodolfo da Silva – CRB-8/9410

| 2019-1509 | CDD: 920 |
| | CDU: 929 |

---

2019
Todos os direitos reservados à Panda Books.
Um selo da Editora Original Ltda.
Rua Henrique Schaumann, 286, cj. 41
05413-010 – São Paulo – SP
Tel./Fax: (11) 3088-8444
edoriginal@pandabooks.com.br
www.pandabooks.com.br
Visite nosso Facebook, Instagram e Twitter.

Nenhuma parte desta publicação poderá ser reproduzida por qualquer meio ou forma sem a prévia autorização da Editora Original Ltda. A violação dos direitos autorais é crime estabelecido na Lei nº 9.610/98 e punido pelo artigo 184 do Código Penal.

# AGRADECIMENTOS

À minha esposa Michelle e aos meus filhos Rafael e Tomás, companheiros de todos os momentos, principalmente dos difíceis. A meu irmão Fred e aos meus pais Fátima e Izidoro, que me aguentaram desde cedo. À minha avó Dirce e ao meu bisavô Barão, que me deixaram a paixão pelo rádio e pelo São Paulo. À minha segunda mãe, Mercedes, e à minha amiga Veruska, que me fez chorar com seu lindo prefácio. Ao meu querido parceiro Pablo, e aos meus companheiros da Band, principalmente da BandNews FM, que junto com os ouvintes não deixaram o barco naufragar, apesar da perda de nosso insubstituível capitão.

*Eduardo Barão*

Agradeço, primeiramente, ao próprio Boechat – que deveria estar aqui – pelo privilégio de ter trabalhado e aprendido tanto ao lado dele. À minha mãe, por ser apenas quem é: o maior exemplo de ser humano na Terra. À minha família, incluindo minha mulher, Thais, e minhas filhas Ana Carolina e Giulia, pelo apoio e paciência. Aos meus colegas e amigos de BandNews FM e de outras emissoras, além das fontes cultivadas, que fazem e fizeram parte de toda essa história.

*Pablo Fernandez*

# SUMÁRIO

Prefácio ........................................................................... 11
Introdução – por Eduardo Barão ..................................... 15
Introdução – por Pablo Fernandez ................................... 19
A estreia tardia no rádio .................................................. 23
Para se fazer ouvir... ........................................................ 25
... E tocar as pessoas ........................................................ 27
Frank Sinatra: filho de quem? ......................................... 29
Horário brasileiro do Boechat ......................................... 31
Provocador e apostador nato .......................................... 33
O velho sungão vermelho ................................................ 35
Sem a resposta do acusado .............................................. 37
*Buemba!, Buemba!* A dupla com José Simão ................... 39
Aposta sem vencedor ...................................................... 41
Ingressos para os Rolling Stones ..................................... 42
A curta vida de repórter de TV ....................................... 44
Perigo, tubarão! ............................................................... 45
Última chamada, Boechat! .............................................. 47
Um Twingo para chamar de meu .................................... 49
Segura o choro, Boechat! ................................................. 51
Corta o microfone dele! ................................................... 53
Você está aí? .................................................................... 55
Santo remédio ................................................................. 57
"Vai procurar uma rola!" ................................................. 58
"Eu vivo esse momento lindo" ........................................ 61
Rio 2016: "Aqui eu conheço" .......................................... 63
A tragédia dos frangos ..................................................... 65

A teoria do vestido verde ......... 67
"Não me fode, Pablito!" ......... 69
Eterno cantinho ......... 71
Coração gigante ......... 73
Falta no trabalho abonada ......... 75
Arte e ciência: o mecenas oculto ......... 77
Pressão! #SQN ......... 79
A depressão ......... 81
Fala, Jacaré! ......... 86
Amigo de Maitê Proença ......... 88
Mais apuros: socorro! ......... 90
Boate Kiss: 242 dias de revolta ......... 91
O Rappa: fã e ídolo ......... 93
Bom Dia Brasil ......... 96
Até que enfim, férias! ......... 97
PGN, o Partido da Genitália Nacional ......... 99
"Black bostas" ......... 100
A volta às urnas ......... 103
Paixão pelo futebol e pelo Flamengo ......... 105
"Perdeu, *playboy*" – o meme ......... 107
É muita loucura sem drogas ......... 109
Chefia, prepara o bolso! ......... 110
Lixo sobre rodas ......... 112
Foto especial ......... 113
Neto, me salva! ......... 115
O apê do Boechat ......... 116
Petrobras: como se fala mesmo? ......... 119
Lava Jato: a esperança ......... 121
A pasta marrom ......... 123
O submundo dos óculos perdidos ......... 125

Uma nova agenda ... 126
Moedinhas: quem me ajuda? ... 127
Mototáxi: o risco calculado ... 129
Alguém viu a minha aliança? ... 131
Minha mãe, minha ouvinte ... 132
Bate-boca entre amigos ... 133
Dia de alquimia: a explosão ... 135
O futuro do planeta ... 137
Rock por Aleppo ... 138
Cartilhas e autodescrição ... 139
Um dia de sorte ... 140
Ligado em *Tom e Jerry* ... 141
Eu pago o baseado ... 143
Âncora do *Zoonews* ... 145
"Cala a boca, Boechat!" ... 147
Reconhecimento a quem de direito ... 149
Broncas: só sabe quem levou ... 151
Na retórica e na inteligência ... 153
O amor pela notícia ... 154
Amarelo piscante? ... 156
Filhos e mais filhos ... 157
Milton Neves, o Pitonisa ... 159
"Cadê a Paulinha?" ... 161
Deixa que eu chuto! ... 162
Vendedor de jazigos ... 163
A 5ª série B por trás dos microfones ... 165
O assalto no viva-voz ... 167
Basquete: a bola de papel ... 169
Perdeu? Eu também ... 170
Jantar entre inimigos: Petralhas X Coxinhas ... 171

"O que é Instagram?" ............................................. 173
Almoço sagrado: a hora da família ..................... 175
A espera no alto da escada ................................... 177
Os quilos a mais em São Paulo ............................ 178
O primeiro e último livro ...................................... 179
Almofadinha, senão dói ......................................... 181
Nunca é tarde para se reinventar ........................ 182
O dia do encontro com Reinaldo Azevedo ....... 185
Larga a minha cadeira! .......................................... 187
Minha cadeira 2: a obra de arte .......................... 189
As escapadas no celular ........................................ 191
Duas viaturas, quase cem processos e uma derrota .. 192
Margareth e o Brasileirão de 2009 ..................... 195
Horror a chefes ....................................................... 197
O dia do adeus: não era a hora ........................... 199
O velório: amigos, fãs e conforto ........................ 204
O primeiro Dia das Mães sem ele ....................... 206

# PREFÁCIO
## POR VERUSKA BOECHAT

O rádio foi a grande paixão do meu marido, Ricardo Boechat, no jornalismo. Embora tenha relutado em aceitar fazê-lo e gostasse de contar publicamente que fui eu que o convenci a isso, ele se apaixonou perdidamente por esse veículo assim que deu o primeiro beijo. Se ressentia de ter demorado a conhecer esse amor, que só veio depois de quarenta anos de jornal impresso e de anos de TV ao vivo.

O que o encantava no rádio não era apenas a possibilidade de contar as suas histórias por longos minutos, sem as amarras do tempo exíguo da televisão ou dos poucos caracteres de uma nota de coluna de jornal. Ele amava a interação em tempo real com os ouvintes de todas as idades e classes sociais, sempre ligando ou escrevendo a todo o momento sobre o que ele tinha acabado de dizer no ar, e amava mais ainda o tanto que cada um desses ouvintes se sentia próximo o suficiente para abordá-lo, elogiá-lo, ou cobrá-lo, como a um parente próximo, por mensagem ou na rua.

E foi nesse ambiente que ele conviveu com Eduardo Barão, Pablo Fernandez e toda a equipe da rádio BandNews FM durante 13 anos, de fevereiro de 2006, quando nos mudamos para São Paulo, a fevereiro de 2019, três, quatro, às vezes até cinco horas por dia, de segunda a sexta. Ali ele se sentia em casa, em família, à vontade para ensinar, para aprender, para dar bronca e para se orgulhar.

Todas as histórias contadas neste livro, juntas, ilustram um pouco do que era o meu marido, invariavelmente o mesmo, fosse no ar ou em *off* (fora dos microfones), dentro de casa ou em público, se omitindo jamais, correndo risco sempre.

Quem fosse fã do que ele dizia ao microfone gostava dele de verdade, porque ele não tinha personagem, era o que demonstrava ser.

Eventualmente, gostava de emitir opiniões, que mesmo sendo suas, preferia no ar atribuir à mãe, dona Mercedes, para dar mais isenção, e ela me ligava indignada de ser citada abertamente por confissões que havia feito no privado.

Também atribuía a mim no ar piadas que inventava, como a que eu me recusava a entrar no Twingo dele, e eu brincando ameaçava um dia desmentir por meio do direito de resposta. Ele chegava em casa se gabando, mesmo correndo o risco de levar bronca depois.

Contava para a equipe coisas que fazia "escondido de mim", como pagar contas e planos de saúde de conhecidos e desconhecidos, e depois vinha me confessar não só o que tinha feito, mas para quem havia contado. Igual a uma criança.

Tinha uma bagagem de informação tão gigante, tão incrível, tão admirável do jornalismo que chegava em cima da hora de entrar no ar e desenvolvia de cabeça raciocínios que muitas vezes pautariam noticiários da própria Band e da concorrência naquele dia. Na época em que teve depressão, foi difícil fazê-lo entender que aquilo a que ele estava acostumado, o improviso, não era normal, que o normal era se preparar minutos antes, eventualmente até escrever o texto de abertura, como ele precisou fazer durante um período. Várias vezes vendo a agonia pela qual ele passou naquela época diante da necessidade de se preparar um pouco, eu brinquei: "Bem-vindo ao mundo dos simples mortais".

Durante anos a fio, ele suou de nervoso na hora mais esperada do seu programa, o dueto com José Simão. A necessidade daqueles minutos do quadro corresponderem diariamente às altas expectativas dos ouvintes o apavorava.

Eu nunca disse isso antes ao Barão, mas ele tinha ódio do fato de que em várias ocasiões, justamente na "hora do Simão", o Barão saía do estúdio, em vez de estar lá para ajudá-lo a interagir. Perdi as contas de quantas vezes ele chegou em casa magoado. Mas a mágoa durava meio segundo.

Cada história vivida entre Ricardo Boechat e todo o pessoal da rádio era uma história que ele levava para casa, cada problema de cada um deles também passava a ser um problema dele. E é por isso que mesmo neste momento em que a minha dor e a das minhas filhas é tão recente, em que a ferida ainda está tão aberta pela perda do meu grande amor e pai incrível das minhas duas filhas, eu aceitei mexer em meus sentimentos e relembrar com saudade histórias dele para escrever este prefácio – tarefa que faço aos prantos e que não teria aceitado fazer por ninguém que não fosse realmente tão próximo e tão querido por ele, como eram Barão e Pablo. Agradeço de coração pela homenagem a alguém que fazia da ajuda ao próximo uma rotina de vida.

# INTRODUÇÃO
POR EDUARDO BARÃO

Em outubro de 2018, eu e Ricardo Boechat tivemos esta conversa nos estúdios da rádio BandNews FM, em São Paulo:

"Boechat, preciso te falar uma coisa."

"Diga, Baronete, o que manda?"

"Sabe aquela história de ter um filho, plantar uma árvore e escrever um livro?"

"Sei, o que tem?"

"Então, tenho dois filhos, plantei aquele feijão no algodão numa experiência na escola e decidi que vou escrever um livro."

"E sobre o que tu vai escrever, Baronete?"

"Pensei em falar sobre as histórias que a gente viveu ao longo de mais de uma década aqui na rádio. Conversas que foram ao ar, alguns bastidores, enfim, descrever um pouco dessa bagunça diária."

"Mas como você vai fazer isso?"

"Olha, Boechat, eu gosto muito do escritor Mario Prata e pensei em contar pequenas histórias como ele fez no livro *Minhas mulheres e meus homens*."

"Mas você vai pegar histórias só minhas ou dos outros da rádio?"

"Você é o foco principal por motivos óbvios, mas outras pessoas, não só aqui da rádio, como da TV Band, também estarão no livro."

"Beleza, Baronete! Boa sorte. Só não vai me pedir para escrever nenhuma orelha do livro. Você sabe que qualquer texto que faço vira uma tortura por causa do meu perfeccionismo."

"Claro, Boechat, não vou pedir."

Mas, na verdade, depois eu ia acabar pedindo. E ele sabia que, apesar de resmungar, toparia escrever. Mas não deu tempo. Tudo por causa do trágico acidente de helicóptero que levou o mais brilhante jornalista do país em 11 de fevereiro de 2019.

Por um momento, decidi que não iria mais terminar o livro, que já reunia alguns rascunhos. Logo depois, em meio a tantas homenagens prestadas em todo o país, com tantas histórias sendo lembradas, a vontade de retomar o projeto ganhou força. Mas, dessa vez, apenas com histórias sobre Boechat.

Ainda em meio as sessões de terapia, pedi ajuda ao meu companheiro e editor do jornal do Boechat e da coluna que eles assinavam na *IstoÉ*, Pablo Fernandez, para coletar histórias do âncora de notícias mais popular do país.

O rádio é uma delícia para quem ouve, mas é ainda mais envolvente para quem está do outro lado, atrás dos microfones. Apesar da pressão diária para dar as notícias em tempo real, aprofundar os temas e opinar, o tempo para quem está no estúdio transcorre num compasso diferente. Um minuto é muito. E em muitos minutos passados diariamente dentro do estúdio, damos muitas informações, mas também conversamos bastante.

E com Boechat as conversas sempre foram sensacionais. Quando os assuntos eram as notícias, eu e os outros colegas de estúdio tínhamos ali a companhia de uma mente brilhante, astuta, inquieta, inconformada. Mas sobrava muito tempo para conversar sobre a vida pessoal, contar os causos, os desafios e falar besteiras. Muitas besteiras!

Fora do ar, nos intervalos, com os microfones desligados, ríamos com as histórias de vida do peladeiro de Niterói, abríamos o coração falando sobre questões pessoais e, claro, jamais perdíamos a chance de dar boas risadas.

Em quase quatro décadas de carreira, Boechat já tinha passado por poucas e boas e compartilhou muitas histórias com os ouvintes ao longo dos quase 14 anos na BandNews FM.

A BandNews FM e Ricardo Boechat eram um casamento perfeito. A rádio nasceu para ser ágil, com notícias atualizadas em jornais de vinte minutos, atual em várias frentes, com um time de colunistas em áreas que interessavam a todos e, principalmente, um veículo aberto à participação do ouvinte.

Ao longo dos anos, com o aumento das ferramentas de interação, das redes sociais e de aplicativos de mensagens, essa missão de pôr o ouvinte no ar ganhou ainda mais força.

Quando Ricardo Boechat chegou, encontrou ali uma redação enxuta, composta principalmente de jovens jornalistas. Era o ambiente perfeito para mostrar como realmente era. Ali, ele conseguiu expor seu lado de jornalista brilhante e também a sua personalidade autêntica, despojada, simples e verdadeira. Foi a oportunidade de mostrar como um ser humano extraordinário como Boechat se consolidaria como mais importante jornalista do país.

Todos os dias, pela manhã, mostrava como sentia desprezo por autoridades, mas mantinha um profundo respeito pelas pessoas e pela divergência de opiniões. Sua inconformidade com a injustiça era tão grande quanto a sua capacidade de dar gargalhadas, como bem sabiam os fãs do Boechat, que se acostumaram a ouvir suas risadas no ar com José Simão, com o sorriso largo em matérias e na bancada do *Jornal da Band*.

Ainda tive o privilégio de ter o texto de abertura da minha amiga Veruska Seibel Boechat, que ficou eternizada pelo Careca como Doce Veruska. E textos da minha segunda mãe, dona Mercedes Carrascal, que encantou o país com sua lucidez e inteligência afiadas, que mostram de onde vieram esses mesmos traços do Boechat.

Ao longo deste livro você irá encontrar histórias que foram escritas em primeira pessoa por mim ou por Pablo Fernandez, pois vivemos esses fatos – ao final dos textos colocamos as iniciais dos nossos nomes (E.B. e P.F.). E outras em terceira pessoa, quando contamos histórias que ouvimos.

Prepare-se para rir e chorar, mas nunca ficar indiferente. Como Boechat dizia: "Eu vim para esse mundo para transformar de alguma forma a vida das pessoas".

Seja então transformado por *Eu sou Ricardo Boechat*.

# INTRODUÇÃO
POR PABLO FERNANDEZ

Foi o acaso que me colocou ao lado do meu grande ídolo, Ricardo Boechat, e me trouxe aqui para, junto do Eduardo Barão, contar as histórias dele. E quantas histórias!

Em 2012, quando cheguei à BandNews FM, não imaginava o que viria pela frente. Saído da Jovem Pan depois de sete anos trabalhando de madrugada e fazendo o *Jornal da Manhã*, fui contratado para trabalhar no horário da tarde. Ufa! Finalmente eu dormiria até mais tarde. O cargo era de editor.

Em pouco tempo, sem perceber, passei a fazer o que mais gostava, e ainda gosto: investigar. Isso só foi possível graças à ajuda e ao apoio da então chefe de reportagem e hoje diretora da BandNews FM, Sheila Magalhães. Foi ela quem me fez acreditar que eu era capaz, e aquilo foi só o começo. Eu não sabia.

De repente, as coisas mudaram, e eu não queria mais dormir tanto. Pela manhã, acordava às 7:30 horas só para ficar ouvindo o horário do Boechat e ver se as minhas reportagens entrariam no ar e seriam comentadas por ele. Eu me frustrei algumas vezes, mas o acaso quis que, depois de três meses, eu passasse a trabalhar ao lado dele. Fui convocado pela chefia. Tive medo.

Eram muitas dúvidas. Ele tinha a fama de ser muito exigente – e era. Não bastasse, trabalharia ainda com Eduardo Barão e com a Tatiana Vasconcellos, dois dos grandes apresentadores do rádio brasileiro. Mais tarde, Carla Bigatto assumiria o lugar da Tatiana.

Era a minha oportunidade de sugar tudo daquele cara espetacular e, o mais importante, ganhar a sua confiança. Por isso, não abandonei a investigação. Sempre arrumava tempo, mesmo quase não tendo algum de sobra.

E, mais uma vez, o acaso se fez presente.

Depois de passar por um dos momentos mais difíceis da minha vida (assim como ele, tive depressão), me reergui e pensei: é agora ou nunca! Como já fazia reportagens em São Paulo e tinha acumulado muitos contatos, passei a mexer com o pessoal do terceiro andar: Executivo, Legislativo e Judiciário.

Boechat acreditou em mim e, para a minha surpresa, fui privilegiado com o convite para fazer, ao lado dele e do Ronaldo Herdy, a coluna na revista *IstoÉ*. Eu tinha ganhado mais uma chance de mostrar o que havia aprendido com ele.

Eu me relacionava com Boechat o dia todo. De manhã, na rádio e, à tarde, na coluna. Às vezes, recebia ligações dele nos intervalos do *Jornal da Band*. Queria tirar dúvidas ou obter alguma informação. Poucos tinham ou tiveram a mesma oportunidade. Era o meu espelho dizendo o que eu deveria ou não fazer e até perguntando a mim algo que, acredite, não sabia. Levei muita bronca e garanto que aprendi com todas. "Pablito, esse tipo de fonte não vai te levar a nada. Liga direto! Vai na jugular", dizia.

Como poucos, eu podia falar em nome do Boechat com qualquer um, autoridade ou não. E como ele era respeitado! Era a chave para abrir qualquer porta. Eu sentia orgulho e admiração.

E é isso que devemos sentir por ele. Boechat sabia lidar com todos os tipos de pessoa, independentemente de raça, cor, gênero, credo, língua, opinião ou classe social. Não fazia diferença. Ao lado disso, ele tinha ojeriza à desonestidade.

O acaso, o mesmo que me aproximou do Boechat, o levou na tragédia do dia 11 de fevereiro de 2019.

E foi por acreditar nele e no legado que nos deixou que aceitei o convite do Barão para contar a vocês um pouco da vida do nosso Carequinha de todas as manhãs. Um pai, um filho, um amigo, um professor e um gigante no jornalismo.

*Eu sou Ricardo Boechat* tem um só propósito: manter viva a história dele.

# A ESTREIA TARDIA NO RÁDIO

A carteira de trabalho de Ricardo Boechat foi assinada pela primeira vez em 1971, no extinto *Diário de Notícias*, do Rio de Janeiro, jornal que muitos da nova geração não conhecem. Era ali que começava a carreira de um dos jornalistas mais admirados do Brasil, ao lado do gigante Ibrahim Sued, que inovou ao misturar o colunismo social, que tratava da alta classe, com notícias exclusivas. Em 1983, Boechat ganhou uma coluna no jornal *O Globo*. Foram, ao todo, 35 anos de furos, exclusivas e muitos prêmios até que o trabalho no impresso o levou para a televisão. Em 1996 ele passou a fazer parte da equipe do *Bom Dia Brasil*, na TV Globo.

Demitido do grupo Globo (assunto para outra história ainda neste livro), Ricardo Boechat foi chamado para dirigir a BandNews FM no Rio de Janeiro e também aceitou apresentar um jornal matinal às segundas-feiras, na rádio Paradiso, a pedido dos sócios Luciano Huck e Luiz Calainho. "Mas só porque era uma vez por semana e não demandava muito esforço", nas próprias palavras do Boechat. O jornal se chamava *Boechat com Torradas*.

Tudo mudou, no entanto, em 2005. Depois de muita insistência, ele cedeu e começou a apresentar e a comentar o noticiário do Rio de Janeiro na BandNews FM. Sofreu pressão, pensou, refletiu e decidiu – quase que colocado contra a parede – após ouvir uma frase de sua mulher, a Doce Veruska: "Você já levou um pé na bunda, mais de um; então, aceita esse troço logo".

Não demorou e, em 10 de fevereiro de 2006, com a saída de Carlos Nascimento, até ali âncora matinal da Band-

News FM, Ricardo Boechat começou a sua história no rádio nacionalmente, o veículo que mais o projetou e mais lhe trouxe prêmios na carreira. Até 2018, Boechat ganhou 18 prêmios Comunique-se, o Oscar do jornalismo, e figurou como mestre em quatro categorias, entre elas Âncora de Rádio e Mídia Falada.

Foram 13 anos de rádio e de BandNews FM, tornando-se para muitos um dos apresentadores – ou o apresentador – mais ácido, eloquente e inteligente do Brasil.

Ricardo Boechat lembrava uma frase do colega Heródoto Barbeiro, que por muitos anos comandou, com sucesso, o noticiário da Central Brasileira de Notícias (CBN). Em um evento, o atual âncora da Record News disse que só tinha um arrependimento: ter descoberto o rádio tardiamente.

Em uma das últimas entrevistas concedidas antes de morrer, Boechat afirmou: "Reproduzo sem tirar uma vírgula".

## PARA SE FAZER OUVIR...

Se tinha algo que Ricardo Boechat valorizava no rádio era a relação com o ouvinte. E não tinha discussão! Para ele, que costumava dar no ar o número do próprio celular, a BandNews FM mudou a forma e a linguagem de se relacionar com quem estava do outro lado do *dial*.

Para Boechat, as principais pautas da emissora deveriam ser sempre aquelas que de fato mexiam com o cotidiano e a vida das pessoas. Ele se preocupava com quem não tinha remédio, com quem não conseguia atendimento em um hospital, com a burocracia do Estado, com o buraco na rua, com a árvore que caía. Tudo tinha um lugar na agenda do Boechat. Sem contar os inúmeros e-mails e mensagens de SMS (ele nunca usou WhatsApp) que ele separava e encaminhava às produtoras Nana Matos e Letícia Kuratomi. As duas, como tantos outros, trabalharam dobrado ao lado dele, apurando e dando andamento ao material que chegava por meio dos ouvintes.

Boechat tinha uma ideia, levou adiante e conseguiu quebrar o jornalismo engessado que existia no rádio e ainda existe na TV, por questões comerciais e de tempo, algo que ele tentava mudar quando fazia comentários no *Jornal da Band*. O foco na BandNews FM era mudar o modelo. E, mais uma vez, ele conseguiu!

Dizia que o rádio saiu do campo formal e foi para a esculhambação: não havia nenhum tipo de código ou *timing*. Era, para ele, como as pessoas são na vida real. Ninguém, na avaliação do Boechat, era tão engessado; sempre poderia haver um acidente de percurso. E era a isso que se apegava. Assim, o que ele mais gostava de dividir com os ouvintes eram as histórias.

Ricardo Boechat era apaixonado por histórias, independentemente de onde elas vinham. Poderia ser uma tragédia, como as de Mariana e Brumadinho, em Minas Gerais, ou um simples pedido de casamento feito no ar. A BandNews FM era isso para ele. Um espaço dedicado e feito pelos ouvintes para dividir experiências e contar, da forma mais real possível, o drama ou a alegria de quem nos acompanhava.

"O povo se identifica. Dialoga com o rádio", dizia Boechat. Mas ele tinha uma frase preferida para resumir tudo isso, que também era e ainda é a preferida da diretora da BandNews FM, Sheila Magalhães: "A BandNews FM é uma rádio para você se fazer ouvir". E era isso que o motivava todos os dias.

# ... E TOCAR AS PESSOAS

Entre 1983 e 2001, Ricardo Boechat fez a coluna publicada diariamente no jornal *O Globo* e, por um longo período, teve como principal concorrente o amigo e saudoso Zózimo Barrozo do Amaral, colunista do *Jornal do Brasil*. Para Boechat, um dos mais talentosos do Brasil. As informações obtidas por eles eram exclusivas ou de bastidores, muitas vezes sequer eram confirmadas por fontes oficiais.

Certa ocasião, os dois foram convidados para uma entrevista, e foi ali que Boechat começou a mudar a forma de pensar. Eles tinham estilos diferentes. Zózimo tinha um texto mais cadenciado, mais leve. Boechat, por sua vez, queria causar impacto imediato.

O repórter perguntou aos dois o que eles mais ambicionavam quando escreviam uma nota. Um furo? Zózimo, que era um *gentleman*, afirmou: "Se eu extrair apenas um sorriso do meu leitor, atingi o que queria". Boechat, por outro lado, disse: "Se eu levá-lo à loucura, acho que o alcancei".

Ele queria que o leitor mudasse o rumo de vida, que entrasse em pânico, queria produzir uma reação que permanecesse. Essa era a visão do Boechat naquele tempo. Passados mais de vinte anos, dizia entender perfeitamente a sofisticação do pensamento de Zózimo, a quem demonstrava grande carinho.

E diria hoje, se ainda estivesse por aqui, em uma adaptação à realidade na BandNews FM, que o objetivo é atingido quando se consegue "tocar" as pessoas. Pode ser falando de uma experiência, contando a história de alguém ou fazendo um comentário político.

Segundo Boechat, o mais gratificante era ouvir "Você falou o que eu gostaria de ter falado" ou "Você fala o que a gente não pode falar".

# FRANK SINATRA: FILHO DE QUEM?

O inusitado sempre fez diferença na carreira e na vida do Boechat. Seja quando começou no colunismo sem nenhuma fonte, seja quando encerrou a carreira na BandNews FM. Em outubro de 2013, uma notícia inesperada pegou o mundo de surpresa. Mia Farrow, atriz norte-americana que atuou em clássicos do cinema, decidiu revelar que o seu filho Ronan, que até então se pensava ser fruto do relacionamento com Woody Allen, um dos maiores nomes do cinema, poderia ter outro pai: ninguém menos que Frank Sinatra. Sim, seria o homem com a voz mais bela do planeta o genitor do menino, hoje com 31 anos. Farrow e Sinatra foram casados entre 1966 e 1968, mas nunca deixaram de se encontrar.

Não deu outra! Boechat, com seus olhos azuis, os mesmos do compositor e intérprete de clássicos como *My way* e *New York, New York*, levantou a bola e sugeriu aos ouvintes que qualquer um poderia ser filho do ícone da música. Ou seja, ele também poderia – por que não? – fazer parte da família Sinatra, até porque o homem passou o rodo em meio mundo. Para tirar a dúvida, sem combinar nada, ele mesmo ligou para a mãe, que sempre o chamava de Ricardo. Dona Mercedes, mãe de sete, aos 82 anos estreou no rádio, pois naquele momento foi ao ar em rede nacional.

"Alô!"
"Méccia?"
"*Qué tal, Ricardo?*"
"*Decime, Méccia, Sinatra te...?*"

"*No dormi com Sinatra no.*"
"*No?*"
"*No.*"
"Mas não seria uma má ideia não, mãe."
"Por favor, já chegava com um."
"Mas poderia ser. Iria melhorar a minha vida, mãe."
"Não ia melhorar, não. Sinatra era mafioso."
"Tá bom, então."
"Seu pai podia ter muitos defeitos, mas mafioso ele não era."

Como não podia ser diferente, os ouvintes e nós da BandNews FM caímos na gargalhada. A história, para variar, foi parar nas redes sociais. Até mesmo sites de notícias publicaram a estreia de ninguém menos que dona Mercedes, aquela que deu à luz e criou o Carequinha mais admirado do Brasil.

Só para deixar claro – melhor, não é? –, o pai do Boechat se chamava Dalton e morreu em 1979. Ao contrário do que dizem, ele nunca foi diplomata. Era um professor de idiomas, falava sete línguas e trabalhava para o Itamaraty. Foi por isso que o filho nasceu em Buenos Aires. Dalton e dona Mercedes se separaram no início da década de 1970, por vontade dela e, com certeza, se estivesse vivo, ele teria se divertido com a história do Frank Sinatra.

# HORÁRIO BRASILEIRO DO BOECHAT

"Pontualmente, sete e meia da manhã. Bom dia, bom dia, eu sou Ricardo Boechat, essa é a BandNews FM e nós vamos ficar juntos até às nove e qualquer coisa da manhã." A frase era dita diariamente por ele na abertura do jornal na BandNews FM, que, por curiosidade, nunca teve um nome. Era apenas o horário do Boechat e o temor do nosso diretor comercial, Vanderley Camargo, que teve de aprender a lidar com as particularidades do relógio mais maluco do rádio.

Em qualquer veículo de comunicação do planeta, os horários de anúncios e patrocínios são como uma espécie de lei: devem ser seguidos à risca. É algo incontestável. Quando foi a última vez que você viu um jornal de TV terminar mais tarde porque um apresentador decidiu contar uma última história enviada por um telespectador? Isso não existe. Só que Boechat nunca seguiu essa lógica.

Pelo contrário, a veia anárquica dele transformava os horários das programações locais e nacionais, além dos horários comerciais, em um desafio diário. Oficialmente, o horário do Boechat na rádio começava às 7:30 horas e deveria – isso mesmo, deveria – terminar às 9:00 horas. Quase que diariamente, no entanto, passava das 9:30 horas, ou seja, um "leve" atraso de meia hora, invadindo os programas apresentados localmente pela Rede BandNews FM.

Responsável por explicar a lógica do Boechat aos diretores comerciais que vendiam os anúncios nas outras cidades, Vanderley Camargo adotou o único discurso que poderia fazer sentido: "Esqueçam o relógio! Entre sete e meia e nove horas – ou nove e qualquer coisa – não funciona a hora de Brasília, mas, sim, o fuso horário do Boechat".

# PROVOCADOR E APOSTADOR NATO

Ricardo Boechat era um provocador nato e adorava uma aposta, normalmente contra a corrente. Várias vezes no ar, na rádio, ele dizia que colocaria a língua dele na guilhotina. Por sorte, as guilhotinas eram manejadas por carrascos bonzinhos; caso contrário, o querido falador não teria feito o estrondoso sucesso que fez: na maior parte das vezes, ele errou seus prognósticos.

Foi assim na cassação do mandato de Eduardo Cunha, investigado na Lava Jato por manter contas no exterior; no impeachment de Dilma Rousseff, acusada de crime de responsabilidade; ou na provável, mas não concretizada, queda do então presidente Michel Temer, que ficou até o último dia no cargo, mesmo com o escândalo da JBS.

E o mais bacana é que essa vontade do Boechat de contestar e ir contra o pensamento comum sempre encontrava um grande rival, o diretor de jornalismo da Band, Fernando Mitre, um excelente administrador de debates e com habilidade de colocar panos quentes em todas as fervuras acendidas por Boechat. Os dois apostavam quase que diariamente sobre assuntos do cotidiano, o que logo se tornou um hábito. Muitas vezes pelo simples prazer de apostar. A divergência era clara. Enquanto um apostava que Dilma Rousseff, já cambaleando no cargo, sofreria impeachment, o outro dizia que não. Enquanto um tinha convicção de que o empresário e dono da JBS, Joesley Batista, ficaria preso, o outro apostava que não.

O prêmio do vencedor era sempre o mesmo: um bom vinho.

Boechat sempre disse que toda vez que ele perdia, e não eram poucas, pagava a aposta. Mas reclamava que, nas vezes que ganhou de Fernando Mitre, o veterano jornalista mineiro jamais cumpriu o acordo. Boechat o chamava de pão-duro.

Nota: Fernando Mitre disse a estes autores que Boechat inventou toda essa história e que quem não pagava a aposta era ele (apesar de termos visto uma garrafa pouquíssimas vezes, ou quase nenhuma).

## O VELHO SUNGÃO VERMELHO

Por anos a fio, às sextas-feiras, Ricardo Boechat encerrava o programa na BandNews FM pela manhã dizendo que passaria o fim de semana no Rio de Janeiro, terra que tanto amava. E justificava: "Minha gente, estou indo para a praia do Leblon. Vou usar meu sungão vermelho. Nós nos vemos mais tarde no *Jornal da Band* e, na segunda-feira, estou de volta às sete e meia da matina. Até lá!".

Apesar da imagem que os ouvintes criavam em suas cabeças, do Boechat em trajes sumários, ele nunca – isso mesmo, nunca – teve um sungão vermelho. No Rio de Janeiro, preferia ficar curtindo um pouco de tranquilidade em seu apartamento no Leblon e só descia para a areia no fim da tarde, com o sol mais baixo.

Em uma dessas idas, em janeiro de 2016, Boechat, que vestia um calção de futebol, foi para a praia com um grupo de amigos, dentre os quais alguns estrangeiros. O cenário, no entanto, era de entristecer. Havia lixo por toda parte, como se um tufão tivesse espalhado tudo pela areia e a Companhia Municipal de Limpeza Urbana (Comlurb) não passasse por ali há tempos. Como se sabe, algo comum em nossas belas praias.

Inconformada, uma amiga bradou: "Essa Comlurb é um absurdo. Olha a quantidade de sujeira espalhada".

Um dos gringos que estava no grupo perguntou o que era a Comlurb. Eles explicaram que se tratava de uma empresa da prefeitura responsável por limpar a cidade do Rio de Janeiro. Então, o gringo perguntou: "Mas essa Comlurb é quem joga o lixo na areia?". A resposta, claro, foi "não".

Dias depois, a Doce Veruska gravou e postou um vídeo no Facebook do Boechat recolhendo restos de coco, garrafas, latinhas e papéis jogados pelos próprios frequentadores da praia do Leblon. As imagens viralizaram e foram parar nos principais portais de notícias do país.

Ao fim, além de dar o exemplo, Boechat fez a sua graça, com uma barriguinha saliente: "Mas o objetivo desse vídeo é para mostrar o meu corpinho". E saiu dando risada.

# SEM A RESPOSTA DO ACUSADO

Depois da Operação Lava Jato, iniciada em 2014, dia sim, dia não, a BandNews FM levava ao ar alguma acusação envolvendo políticos. Podia ser o presidente, um governador, um deputado ou um senador. Quase que diariamente, o Ministério Público Federal (MPF) apresentava denúncias ou detalhes divulgados em delações premiadas, feitas sobretudo por doleiros, operadores e executivos de empreiteiras.

Um dos pilares sagrados do jornalismo é o de sempre ouvir a outra parte, nesse caso dar a resposta do acusado, seja dita por ele mesmo ou por seus advogados. Com Boechat, mais uma vez, não era assim. As broncas dadas no editor do horário, Pablo Fernandez, tinham o mesmo argumento, e não havia discussão.

"Pablito, por que você está dando a resposta do Renan Calheiros? É óbvio que ele vai negar qualquer coisa. Acorda para a vida", dizia Boechat. Usar áudio de político se defendendo, então, nem pensar. E isso seguiu inalterado pelos 13 anos de BandNews FM.

Ricardo Boechat entrou no rádio para quebrar paradigmas que ele mesmo, um dia, até cogitou concordar. Queria algo inovador e menos pautado pela fé pública – a palavra da autoridade contra qualquer denúncia ou acusação. A ideia era inverter o polo, historicamente, sempre pendente para as autoridades. Na BandNews FM, pendia sempre para o ouvinte. Ou seja, quem quisesse que provasse o contrário.

Como não havia discussão e o volume de acusações, à

época, era muito grande, a BandNews FM adotou uma única tática. Em todos os casos, se escrevia: "Fulano negou as acusações". E Boechat aproveitava para esbravejar no ar.

*(P.F.)*

## BUEMBA!, BUEMBA!
## A DUPLA COM JOSÉ SIMÃO

"Perdi meu vice amado", disse José Simão logo após a morte do Ricardo Boechat.

A química entre os dois foi construída da forma mais simples possível. Antes do Boechat dividir aquele espaço tão nobre, perto das 8:50 horas, com José Simão, quem o fazia era o antecessor, Carlos Nascimento. Mas não tinha a mesma pegada. Parecia algo engessado, sem a esculhambação diária que tornou o quadro um sucesso nacional.

Logo no início, Boechat admitiu, ao vivo, que estava em pânico. E falou para Simão: "Olha, Simão, eu estou muito tenso". Isso porque ele via José Simão como o principal nome do humor político. Para Boechat, era o cara mais sacana. Não levava nada a sério. E foi isso que o fez adotar a mesma tática: "Quer saber, se ele é assim, por que eu vou ser diferente? Liguei o foda-se". A coisa, segundo o próprio Boechat, passou a funcionar a partir daquele momento, quando decidiu levar Simão na "galhofa", como dizia.

As risadas são incontáveis e, naquele horário, todos os dias, de 2006 a 2019, não havia tempo ruim. E ninguém, ninguém mesmo, fazia aquilo como o próprio Boechat. Nem Barão, nem Tatiana Vasconcellos, nem Carla Bigatto, nem Luiz Megale. Era uma espécie de "volta logo das férias, Boechat".

E foram anos inesquecíveis. Lembra das imitações de Dilma Rousseff e Fernando Henrique Cardoso? Quem vai se esquecer dos predestinados, das piadas prontas ou dos *breaking news* divididos por eles ao microfone? E as músicas enviadas com exclusividade ao Simão pelos Marcheiros de Campinas, que faziam paródias maravilhosas? Tinha piada de todos os tipos, e ninguém era perdoado. Na última coluna, os dois falaram sobre Bolsonaro, Partido Social Liberal (PSL), Tim Maia, Marcelo Crivella, Pezão e tantos outros.

Um dos áudios antológicos usados na esculhambação veio de um ouvinte irritado com os dois. E como o programa sempre foi democrático, entrou no ar: "Vocês ainda estão com essa bosta de *Uenga, Uenga*?! Vocês acham que o meu ouvido é penico? É por isso que eu não estou mais ouvindo essa porra de BandNews. É uma merda mesmo. Vou te falar... Porra, velho, já bisavô, *Uenga, Uenga*! Vai pra puta que o pariu! Agora, eu ouço a CBN. Não essa merda de BandNews [...]. Aqui é o Roberto, de Santo Antônio, Vitória do Espírito Santo. Toma vergonha na cara".

O bate-papo com Simão era o único momento em que Boechat se despia de verdade para dar enormes gargalhadas ao lado do presidente do Partido da Genitália Nacional (PGN), que, quem sabe um dia, há de ser registrado no Tribunal Superior Eleitoral (TSE).

Em uma declaração depois da morte do Boechat, José Simão, que continua no ar comigo todas as manhãs, chorou ao afirmar: "Nossa dupla jamais será retomada".

*(E.B.)*

# APOSTA SEM VENCEDOR

Falar de eleições com Boechat era a certeza de um bom papo, com muitas críticas. Ele mesmo não votava havia anos. Era um crítico feroz do voto obrigatório. E só voltou às urnas motivado pelo grande movimento popular que se viu nas ruas em todo o país em 2013.

Antes, no entanto, em mais um momento importante da vida política, não perderia a oportunidade de fazer mais uma aposta tentadora. Dessa vez foi comigo – e nada tinha a ver com gostar de um ou de outro candidato.

De próprio punho, Boechat escreveu os termos:

"Eu e Barão, pelo prazer do risco, apostamos hoje, 24 de janeiro, vinhos Cartuxa (um dos melhores de Portugal), com base nas seguintes hipóteses:

1. Lula é eleito presidente da República este ano: Barão ganha uma garrafa.
2. Lula é derrotado no mesmo pleito: Boechat ganha uma garrafa.
3. Lula vence no primeiro turno: Barão ganha quatro garrafas.
4. Lula não vence no primeiro turno: eu ganho duas garrafas.

Nenhum de nós torce por qualquer resultado. Consideramos todos os candidatos a mesmíssima merda."

Bom, não preciso dizer que nenhum dos dois ganhou nada. Até porque Lula não foi autorizado a concorrer nas eleições de 2018. Sorte do meu bolso!

*(E.B.)*

# INGRESSOS PARA OS ROLLING STONES

Depois de 18 anos, os Rolling Stones estavam de volta ao Brasil. Era o ano de 2016, e claro que eu, amante do rock, não queria perder essa apresentação histórica. Convidado por um diretor do São Paulo Futebol Clube para assistir ao show de Mick Jagger e companhia no Estádio do Morumbi, avisei Ricardo Boechat que havia um par de ingressos reservado para ele e para a Doce Veruska.

De cara ele recuou:

"Baronete, já fui a um show dos Stones na década de oitenta. Estou velho para isso."

Mas eu insisti:

"Você que sabe, Boechat. A gente ficaria no camarote."

E Boechat ainda se mostrava reticente:

"Camarote de quem? Não quero rolo com empresa. Vão falar por aí que fiquei em um camarote de alguém enrolado na Lava Jato."

Garanti que não o meteria em qualquer roubada. Mas ele mesmo se meteu em uma ao dizer:

"Faz o seguinte, Barão. Liga pra Veruska. Ela que manda na minha vida."

O convite, na prática, estava aceito. Ela topou na hora, e os ingressos chegaram uma semana antes da tão esperada apresentação. Sugeri guardar os bilhetes, mas Boechat disse que os colocaria em um local seguro: a maleta dele – a mesma cheia de papéis que carregava de um lado para o outro.

Já diz o ditado: "Quem avisa, amigo é!". E eu avisei:

"Beleza, Boechat. Sem eles, não dá para entrar".

Na sexta-feira, véspera do show, combinamos de ir juntos. Deixaríamos o carro na Band e iríamos de táxi até o Morumbi. Eu, mais uma vez, insisti: "Não se esqueça de levar os ingressos".

Mas a história envolvia Boechat e, como qualquer outra, sempre haveria uma surpresa. No sábado, 27 de fevereiro, todos já estávamos no táxi quando, perto do Morumbi, num trânsito infernal, eu perguntei:

"Boechat, só para ter certeza, você trouxe os ingressos?"

A resposta:

"Caralho, Baronete, esqueci! Moço, dá meia-volta que eu preciso passar em casa."

Não acreditei:

"Jura?"

O taxista, que provavelmente nunca vai esquecer essa história, salvou os dois casais. Ele nos levou até a casa deles e todos voltamos a tempo de assistir ao show.

Ricardo Boechat não se conformava ou não acreditava no vigor daqueles homens de idade avançada no palco, principalmente de Mick Jagger. Ele o chamava de "pintocéfalo" (algo que não preciso explicar).

A carona da volta foi com o então comentarista de futebol da BandNews FM Sérgio Xavier. Éramos seis no mesmo carro: Boechat, Veruska, eu (que ocupo o espaço de dois), Michelle, Serginho e a mulher dele.

A noite, como não poderia ser diferente, ficará para sempre guardada na memória, assim como o gesto de Mick Jagger mandando um "beijinho no ombro" em pleno Estádio do Morumbi. Foi demais!

*(E.B.)*

# A CURTA VIDA DE REPÓRTER DE TV

Enquanto Shakira, no auge da carreira, fez explodir a música-tema da Copa do Mundo de 2010, na África do Sul, Ricardo Boechat estreou em algo que ainda não havia experimentado. Acostumado aos estúdios, ele teve uma ideia e decidiu se aventurar ao lado do cinegrafista da Band, Claudinei Matosão, sem saber o que o esperava.

Boechat sugeriu à direção da emissora fazer um diário do Mundial, com informações divulgadas nos jornais africanos. A sugestão foi aceita e a primeira externa – jargão utilizado para gravar em certo lugar – foi na Mandela Square, um dos locais mais famosos de Johannesburgo.

Apesar dos anos de jornais, revistas, rádio e TV, Ricardo Boechat confidenciou a Matosão que aquela seria a sua primeira reportagem de rua. A temperatura era baixa, típica da época, o que não o agradou desde o início.

O quadro, no entanto, foi um sucesso. Até mesmo uma vinheta especial foi feita pela Band. O triste é que durou apenas dois dias. Boechat se cansou logo do trânsito maluco da cidade e não aguentava mais o frio das ruas. Não pensou duas vezes e ligou para a emissora com o objetivo de informar: "Cancela tudo".

Foi assim, brilhante e com apenas dois episódios, a estreia de Boechat como repórter de rua depois de tantos anos de jornalismo. Traumatizou, mas não o impediu de, em 2015, longe da África do Sul, enfrentar trens lotados para mostrar o drama da população em São Paulo. Se quisesse, teria uma longa carreira. Ou não...

# PERIGO, TUBARÃO!

É muito comum que jornalistas envolvidos em grandes coberturas aproveitem as folgas do trabalho para visitar lugares conhecidos no mundo inteiro.

O trabalho exige horas de dedicação, mas uma escapulida sempre traz boas lembranças. No caso de Boechat, o que mais o fascinou na Copa do Mundo da África do Sul foi o Museu do Apartheid, que conta a história da segregação racial no país, personificada por Nelson Mandela. Ele foi conhecê-lo com os companheiros Luiz Megale e André Coutinho, além de Marcelo Cruz, responsável pela operação de áudio das transmissões.

No ar, Boechat contou, incrédulo, os detalhes de um tempo absurdo da história, que nunca deixará saudades, mas que deixou feridas até hoje não curadas. Ele chegou a voltar mais duas vezes ao museu e nunca se conformou com o que testemunhou e aprendeu.

Longe de Johannesburgo, em Porto Elizabeth, Boechat viu de perto a eliminação do Brasil diante da Holanda. Placar: 2 X 1. Ele estava hospedado em um hotel de luxo à beira-mar e, antes do jogo, teve a brilhante ideia de dar um mergulho.

Boechat arregaçou as calças jeans e se jogou no mar. Era, para ele, mais um mergulho, como os que dava na praia do Saco de São Francisco, em Niterói, onde cresceu. Entre uma braçada e outra, percebeu que uma funcionária da recepção gritava, chamando-o. Sem entender quase nada de inglês, ele percebeu que algo não estava certo e decidiu voltar.

Já na areia, Boechat tomou uma bronca inesquecível e só entendeu horas depois que a área onde ele mergulhou carregava um pequeno detalhe: era abarrotada de tubarões. Por sorte, não se feriu. Vai saber o que teria acontecido se ele estivesse com o sungão vermelho...

# ÚLTIMA CHAMADA, BOECHAT!

Embarcar em um avião com Boechat, acostumado a idas e vindas dos aeroportos, era uma das coisas mais irritantes do mundo. Ele sempre ficava no saguão e jamais entrava na fila com os demais passageiros para chegar à aeronave.

Em outubro de 2014, Boechat foi com a equipe da TV Band entrevistar a então presidente Dilma Rousseff no Palácio da Alvorada. Ao chegar, ficou admirando as obras de arte expostas nos salões, o que sempre o atraiu por ser um amante da cultura. "Esse quadro do Portinari é espetacular. Olha esse Volpi. E que demais essa escultura do Victor Brecheret!" Isso enquanto se montava todo o equipamento – câmeras e microfones – para a entrevista.

Terminada a entrevista, por volta das 20:00 horas, e ao lado do editor-chefe do *Jornal da Band*, Fernando Mattar, Boechat partiu de volta para o aeroporto Juscelino Kubitschek. A ideia era retornar na mesma noite para São Paulo. O voo estava marcado para as 21:00 horas.

Todos sabiam que Boechat era campeão em perder voos. Ele sempre achava que daria tempo e, em várias ocasiões, foi obrigado a pagar multas pelo excesso de confiança. Sabendo disso, ao sair do táxi, Mattar já avisou:

"Estamos meio em cima da hora, faltam vinte minutos para decolar."

Boechat, como já se esperava, respondeu:

"Por que a pressa, Mattar?"

Mattar argumentou:

"É no último portão, fica do outro lado, Boechat."

Mesmo com o alerta, Boechat não aumentou a velocidade e calmamente deu seus passos rumo ao portão. No meio do caminho, admiradores, ouvintes e telespectadores pediam para tirar fotos. E ele, como se estivesse em casa, parava, conversava e contava piadas. Tudo isso enquanto seguia tranquilamente para o portão – o último do aeroporto. "Trouxe aqui, Boechat, uma denúncia num dossiê para você." "Você parece mais alto na TV." "Minha tia é funcionária pública e não recebeu aposentadoria." E Boechat dava corda.

Após tirar inúmeras fotos, o tempo ficou mais curto: "Calma, Mattar! Para que esse desespero, você é filho de chocadeira?". O avião decolaria em cinco minutos. Mattar e a equipe já entravam no avião: "Boechat, se quiser ficar em Brasília, fica. Eu vou embarcar. Não tem mais ninguém na fila".

Foi aí que Boechat soltou mais uma de suas pérolas históricas: "Eu não entro enquanto não anunciarem o meu nome no alto-falante".

Ele ficou sentado no saguão enquanto todos os outros passageiros já estavam acomodados nas poltronas do avião. Cinco minutos depois, com o devido nome anunciado no alto-falante, no aviso de última chamada, finalmente a "donzela" embarcou. A justificativa é que Boechat não suportava ficar sentado nas apertadas poltronas do avião. Por isso, esperava sempre o último minuto para embarcar. Pelo menos, dessa vez, ele não perdeu o voo.

## UM TWINGO PARA CHAMAR DE MEU

Além da família, para a qual vivia e se dedicava diariamente, Ricardo Boechat tinha algumas paixões, muitas delas incompreensíveis para quem olhava de fora. A mais exótica ou incomum era o apego ao velho Twingo. Não só um, mas dois. A questão não era a grana, era amor mesmo pelo modelo criado em 1993 e vendido pela Renault no Brasil até 2002.

O primeiro, de cor prata, era um lixão a ponto de a Doce Veruska se recusar a andar nele. Estava todo batido, inclusive no teto. O banco não inclinava mais, uma das portas não abria, e até mesmo restos de comida e potes de iogurte dividiam o espaço com Boechat dentro do veículo. Era um horror!

Certo dia, pela manhã, Boechat ficou todo feliz ao mostrar para nós da BandNews FM que o Twingo abrigava um formigueiro – isso mesmo, um monte de formigas.

O objeto da paixão, no entanto, caiu no colo do nosso Carequinha. Em 2006, ao mudar-se do Rio de Janeiro para São Paulo para trabalhar na Band, Boechat ficou em um apartamento emprestado de um amigo, e um Twingo fazia parte do pacote. Era usado no transporte de quadros – o dono do imóvel era um negociador – e estava à disposição na garagem. Boechat decidiu usá-lo. Virou paixão!

Em entrevista à revista *Carro e Vida*, em 2013, Boechat declarou: "Ele me empresta uma colaboração inestimável e eu rendo a ele esse reconhecimento de mérito".

Com o Twingo prata, Boechat foi até o limite. Um dia, o próprio mecânico condenou o companheiro dele de todos os dias. A morte estava decretada, mas não sem deixar lembranças.

O nobre fim ao amigo de tantos anos foi dado pelo artista plástico Alê Jordão. A pedido de Boechat, ele transformou o Twingo em várias peças de arte, que rodaram o Brasil na exposição "Spectrum", em 2015. Boechat não saiu dessa de mãos abanando: recebeu do artista uma cadeira, feita da lataria do carro, com a placa dele grudada. A peça é guardada até hoje, com carinho, na casa de Ricardo.

Incansável e sentindo falta do modelo da Renault, pouco tempo depois, ele decidiu comprar outro Twingo, do mesmo ano. Pagou 11 mil reais pelo modelo na cor meio azul, meio roxa. Parecia uma berinjela. Estava estampada na cara dele a felicidade pela nova aquisição.

Segundo Boechat, independentemente do ano ou das condições, o Twingo cumpria a sua tarefa: levar e trazer, e isso, no entendimento dele, o carro fazia muito bem.

# SEGURA O CHORO, BOECHAT!

Dia 6 de junho de 2008. Pouco depois das 17:00 horas, o carro onde estava o pequeno João Roberto, na época com três anos, o irmão dele, de apenas nove meses, e a mãe Alessandra Amorim, foi alvo de 17 disparos feitos por policiais militares na Tijuca, na zona Norte do Rio de Janeiro. Um dos tiros acertou a cabeça do menino, que chegou a ser socorrido, mas não resistiu e morreu horas depois. Em depoimento, os PMs alegaram ter confundido o veículo da família com o utilizado por criminosos em fuga.

Ricardo Boechat era calejado pelos anos de jornalismo e, por isso, poucas vezes demonstrava o que estava sentindo no ar. Nesse caso, no entanto, foi diferente. Quase não se segurou ao entrevistar o pai de João Roberto durante o programa que fazia diariamente no Rio de Janeiro, logo após o noticiário nacional.

Na porta do hospital, o repórter Flávio Trindade pôs Paulo Roberto para conversar com Boechat, de quem era fã. O pai estava aos prantos, mas transmitia uma lucidez impressionante. Ele contou o que havia acontecido com o filho e confessou, como não poderia ser diferente, que aquela era a grande perda de sua vida.

Acostumado com casos de todos os tipos, ainda mais no Rio de Janeiro, onde vítimas de bala perdida se tornaram mais uma estatística, Boechat sempre fazia o possível para preservar a notícia. Sempre segurava a onda. Mas, dessa vez, não segurou. Ele começou a se emocionar e, com a voz embargada, viu seus olhos se encherem de lágrimas.

O pai de João Roberto era um ouvinte assíduo da BandNews FM e, naquele momento de emoção, falou uma frase que Boechat passou a repetir muito na rádio: "Eu não vou deixar o meu Rio de Janeiro. Eu não posso abandonar o Rio de Janeiro. Se pessoas de bem deixarem a cidade, as pessoas ruins, como essas que atiraram e mataram meu filho, e os bandidos, vão tomar conta do Rio de Janeiro. Quem tem que sair daqui são eles. Eu não!".

Foi essa frase final que Boechat passou a usar quando outros casos de violência aconteciam na capital fluminense e muitas vezes se recordava do dia do caso João Roberto como aquele de maior emoção e tristeza que teve no ar. O dia, entre pouquíssimos, que Ricardo Boechat chegou a perder o foco.

Um dos ex-PMs envolvidos no caso teve a absolvição confirmada três dias após a morte do Boechat, no dia 14 de fevereiro de 2019. Alegou ter feito apenas um disparo para o chão. O outro foi julgado em 2015 e condenado a 18 anos de prisão.

# CORTA O MICROFONE DELE!

Dia sim, dia também, Ricardo Boechat fazia críticas pesadas ao vivo durante a programação da BandNews FM. Foi assim que conquistou os ouvintes e se encontrou no rádio. Não havia um alvo predefinido. A escolha era feita no momento em que a notícia era levada ao ar.

Alguns casos eram acompanhados de perto por ele, como o do ex-deputado paranaense Fernando Ribas Carli Filho, que matou dois jovens em um acidente de trânsito; a tragédia da boate Kiss – assunto para outra nota –, que deixou 242 mortos em Santa Maria, no Rio Grande do Sul; e o desastre de Mariana, que devastou o distrito de Bento Rodrigues e matou 19 pessoas, em Minas Gerais.

No Rio de Janeiro, o sumiço da engenheira Patrícia Amieiro era um daqueles casos que indignavam Boechat. A jovem, então com 24 anos, voltava de uma festa na zona Sul, não chegou em casa e nunca mais foi vista. Quatro policiais militares são acusados de disparar contra o carro dela, matá-la e ocultar seu corpo, além de jogar o veículo no canal de Marapendi. O assassinato aconteceu em 2008.

Dois anos depois, o então advogado dos PMs, Nélio Andrade, pediu direito de resposta, e Boechat concordou em lhe dar espaço. O que ele não esperava é que o defensor dos acusados pelo crime passasse a ofender a imagem da vítima, dizendo que ela, na verdade, havia morrido na Rocinha porque tinha dívida de drogas. E mais: quis impor a versão dele a Boechat. Os dois começaram a discutir.

"Corta o microfone dele! Fecha o microfone desse animal. Agora, você vai ouvir aí quietinho, seu bandido, advogado de bandido. Você não vai vir aqui na rádio para ficar maculando a imagem de uma jovem. Eu não te dou esse direito de você vir aqui no meu programa e achar que eu vou ficar me nivelando a você. Você é vagabundo!"

Nélio Andrade, que morreu em 2016, chegou a entrar com um processo contra Boechat. Onze anos depois do crime, os PMs ainda aguardam julgamento.

# VOCÊ ESTÁ AÍ?

Trabalhar com Boechat na TV ou na BandNews FM era não saber o que ia acontecer. Ele era pouco previsível, o que causava certa tensão entre os colegas de redação. Mesmo as pessoas que o conheciam havia anos eram surpreendidas com alguma bronca no ar ou nos bastidores. Às vezes, nem tinha destino certo. Fato é, no entanto, que Boechat gostava de ensinar, e junto a qualquer crítica vinha a explicação.

Muitas vezes, o repórter estava na rua e o próprio Boechat dizia como ele deveria agir. Não tinha muito aquela coisa de falar fora do ar: "Você tem que fazer assim: vai lá, bate na porta, pergunta isso e aquilo". Falava ao vivo mesmo.

Em uma sexta-feira, apresentando o noticiário do Rio de Janeiro nos estúdios de São Paulo, o que fazia diariamente na BandNews FM, o sinal caiu. Isso irritava Boechat como poucas coisas no dia a dia da rádio. O nosso companheiro Rodolfo Schneider, na tentativa de restabelecer a conexão, colocou um comercial para rodar. Na volta, a surpresa: Boechat não sabia que estava no ar e começou a esculachar:

"Porra, Alemão!", era assim que ele chamava Rodolfo. "Caralho, eu tô aqui no estúdio falando 'alô, Rio, alô, Rio' e ninguém me ouve nessa merda. Puta que o pariu! Tem que ter paciência, caralho!, porra!, para fazer esse programa."

E Rodolfo apenas informou:
"Boechat, a gente está no ar."
"O quê?"
"A gente está no ar."

De repente, fez-se silêncio, e o que se pôde ouvir foi o barulho de um soco dado na mesa. O WhatsApp da rádio bombou de mensagens. Os ouvintes ficaram em polvorosa.

Passado o fim de semana, Boechat abriu o programa na segunda-feira constrangido. E se explicou: "Olha, queria dizer aqui, e os ouvintes que acompanham o programa sabem, que isso aqui é a sala da minha casa, o quanto eu falo da minha vida e o quanto eu abro meu coração. Na sexta-feira, eu falei um monte no ar. E eu queria pedir desculpas".

E a resposta dos ouvintes consolou Boechat, que, no fim das contas, saiu bem na foto: "Porra, Boechat. Do caralho! Tu fala palavrão"; "É isso aí mesmo, meu irmão"; "Foda-se!".

Foi, de novo, do jeito dele.

# SANTO REMÉDIO

Dias antes do início da Copa do Mundo de 2010, Ricardo Boechat desembarcou na África do Sul e logo ficou desesperado. Havia se esquecido de levar um dos "quinhentos" remédios que tomava todos os dias. Um deles era o omeprazol, medicamento indicado para o tratamento de gastrite e as dores causadas por ela. Boechat perguntou para todo mundo se alguém tinha levado o remédio e, sem sucesso, foi procurá-lo nas farmácias de Johannesburgo. Desistiu!

A tortura maior se deu porque ele era apaixonado por vinhos e não perdia a oportunidade de apreciar os sul-africanos de diferentes adegas e uvas. O alívio só veio com a chegada da Doce Veruska, que foi encontrá-lo. Com o omeprazol, e as garrafas garantidas, Boechat não precisava de mais nada, ou quase nada.

Por causa do fuso horário, o *Jornal da Band* ia ao ar lá pelas duas da manhã, no horário da África do Sul. Por isso, normalmente, Boechat jantava sozinho, por volta da meia-noite. Enquanto o material que iria ao ar no jornal era preparado pela equipe, sua única companhia era o vinho.

Em um desses dias, Fernando Mattar, editor-chefe do *Jornal da Band*, percebeu que o néctar de Baco havia deixado Boechat "calibrado". Ele mesmo confessou que tinha tomado três garrafas. E argumentou: "Os vinhos eram muito bons. Uma delícia".

Apesar da tensão de toda a equipe, Boechat mostrou a mesma categoria de sempre. Não errou nada, nenhuma leitura, tampouco deixou transparecer que, se estivesse ao volante, seria autuado e submetido ao bafômetro. Santo omeprazol!

# "VAI PROCURAR UMA ROLA!"

"Ô, Malafaia, vai procurar uma rola, vai. Não me enche o saco."

A frase dita ao vivo no programa do Rio de Janeiro levou Boechat ao *trending topics* do Twitter e gerou dezenas de memes. O áudio circulou como poucos em grupos de WhatsApp. Para muitos, nem importava o contexto, apenas a resposta dada ao pastor Silas Malafaia.

A troca de farpas aconteceu em junho de 2015 e começou quando Boechat atribuiu à intolerância religiosa a agressão sofrida por uma menina de 11 anos, apedrejada na cabeça ao sair de um terreiro de candomblé. Para ele, parte disso vinha de grupos neopentecostais.

Não demorou muito, e o pastor Silas Malafaia postou uma mensagem direcionada a Boechat no Twitter. Quem mostrou a ele foi a produtora Letícia Kuratomi.

"Avisa ao jornalista Boechat que está falando asneira, dizendo que pastores incitam fiéis a praticarem a intolerância. Verdadeiro idiota. Desafio Boechat para um debate ao vivo. Falar asneira no programa de rádio sozinho é mole, deixa de ser falastrão. Não incite o ódio."

Foi aí que Boechat se irritou e, ao vivo, disse:

"Ô, Malafaia, vai procurar uma rola, vai. Não me enche o saco. Você é um idiota, um paspalhão, um pilantra, tomador de grana de fiel, explorador da fé alheia. E agora vai querer me processar. Você gosta muito de palanque, não vou te dar palanque porque você é um otário."

E continuou:

"Não vou fazer debate nenhum com você porque não quero te dar essa confiança. O que eu falei e repito é que no âmbito de igrejas neopentecostais estão acontecendo atos de incitação à intolerância religiosa, mais do que em outros ambientes. Minhas falas estão gravadas, e eu não disse nada que generalizasse as coisas. Até porque, diferente de você, não sou um idiota."

Nos bastidores, Boechat sabia que, apesar da repercussão relativamente positiva entre os ouvintes, tinha ido além do aceitável. Era grave, mas, mesmo assim, concluiu:

"Você é um homofóbico, uma figura execrável, horrorosa, que toma dinheiro das pessoas. Você é rico porque toma o dinheiro das pessoas pregando a salvação depois da morte. Meu salário, meus patrimônios vêm do meu suor, não do suor alheio. Você é um charlatão, cara, que usa o nome de Deus para tomar dinheiro dos fiéis. Não tenho medo de você. Vai procurar uma rola."

Logo depois, o pastor publicou 34 *tweets* criticando a fala de Boechat e postou um vídeo no YouTube, ameaçando processá-lo:

"O jornalista Boechat, no seu programa de manhã, fez uma acusação leviana e séria, de maneira generalizada. Eu respondi através do Twitter que ele estava tremendamente equivocado e ainda o desafiei para um debate. Ele perdeu a linha, me xingou, me difamou. E agora vou dar a oportunidade ao Boechat de dizer na Justiça aquilo que ele falou de mim no microfone da rádio. No microfone é molinho, Boechat."

Silas Malafaia ainda pressionou a direção da Band, mais uma vez pelas redes sociais:

"Vou perguntar ao meu amigo Johnny, dono da Band, se a política do grupo é caluniar e difamar pessoas. Uma vergonha!"

De fato, após a troca de acusações, o pastor processou Boechat, e somente em 2016 o caso se encerrou em uma audiência realizada no Fórum da Barra Funda, na zona Oeste de São Paulo. Ambos se desculparam pelo excesso e ficou tudo bem. O Careca, inclusive, reconheceu que exagerou.

Após a morte de Ricardo Boechat, que era ateu assumido, o pastor repreendeu os evangélicos que atribuíram o trágico acidente de helicóptero à vingança divina:

"Não trabalho com deus que se vinga porque alguém me xingou", disse em entrevista à *Folha de S.Paulo*. Malafaia ainda acrescentou que até podia não concordar com tudo o que Boechat falava, mas era inegável que fora um grande jornalista.

# "EU VIVO ESSE MOMENTO LINDO"

Quem trabalhava com Boechat sabia que aquele era um dia especial. A BandNews FM comemorava dez anos de vida e a festa aconteceu na cidade dele e no maior símbolo do Rio de Janeiro: o Cristo Redentor.

A organização foi toda conduzida pelo amigo e então diretor de jornalismo da Band no Rio, Rodolfo Schneider, com a ajuda e apoio da nossa diretora nacional, Sheila Magalhães. Tudo parecia muito grande, mas era assim que tinha de ser.

O jornal da BandNews FM abriu o noticiário das 7:30 horas com Boechat falando já direto do topo do Corcovado, sob os pés do Cristo Redentor. Estava acompanhado de duzentos ouvintes e nomes como o cantor Frejat e Falcão, vocalista de O Rappa, banda que sempre prestou homenagens a Boechat – fã e admirador do grupo.

Ele próprio quis participar da produção, algo não tão comum. Antes disso, fez o mesmo em eventos como a campanha de doação de sangue da rádio, que começou no Rio de Janeiro e depois se estendeu para todas as cidades onde a BandNews FM está presente.

No dia 20 de maio de 2015, Boechat chegou muito cedo e logo de cara sentiu o calor humano que vinha dos ouvintes, todos muito emocionados e envolvidos na comemoração. O dia estava lindo, sem nuvens e sem qualquer sinal de chuva.

Frejat havia levado o violão e emocionou a galera ao cantar a música *Amor pra recomeçar*. Naquele momento, era o coral mais bonito do Rio. E, no final, Boechat não sabia que algo estava reservado para ele: entrar e subir no Cristo Redentor. Ateu, aos 62 anos, aquela era uma experiência ainda não vivida por ele.

Junto com Rodolfo Schneider, Boechat foi narrando aquele momento para quem estava do outro lado do rádio. Subindo as escadas do Cristo, colocou a mão no coração dele por dentro até chegar ao braço direito do maior símbolo da Igreja Católica no Brasil. Era, com certeza, um dos dias mais felizes da vida dele, principalmente por tudo o que construiu na rádio.

Lá de cima, Boechat estendeu a bandeira da BandNews FM e cantarolou: "Quando eu estou aqui, eu vivo esse momento lindo...".

E, por obra do destino, Boechat não pôde cumprir o que desejou nos braços do Cristo Redentor: "Tomara que daqui a dez anos eu tenha saúde para voltar e subir esses andares novamente, desse monumento único, para comemorar, mais uma vez, um aniversário da rádio".

# RIO 2016: "AQUI EU CONHEÇO"

Era um dia inesquecível para o Brasil. Os olhos do mundo inteiro estavam voltados para o Rio de Janeiro. Pela primeira vez, o país recebia uma Olimpíada.

Eu, Rodolfo Schneider e Ricardo Capriotti, no Maracanã, faríamos a transmissão da abertura na rádio com o apoio do Murilo Borges, que dava as coordenadas no Centro de Imprensa. Boechat, ao lado de Ana Paula Padrão e Álvaro José, comandaria a transmissão na tela da Band.

Naquele 5 de agosto de 2016, Boechat estava preocupado com duas coisas: a primeira, como a Doce Veruska assistiria à cerimônia de abertura porque estava sem transporte. Sozinha, ela decidiu ir de metrô e deixou Boechat mais preocupado. Ele não parava de ligar para saber onde ela estava. A segunda era uma insegurança desnecessária: "Vou ter que ir lá para a abertura e não sei porra nenhuma desse negócio. O que eu vou falar?".

Faltando perto de meia hora para começar o evento, ele ligou para o Rodolfo: "Alemão, vem me dar uma força aqui. Vai começar e eu não sei o que falar".

Puro charme! Não consegui ver a abertura na TV porque estava transmitindo para a rádio, mas a repercussão foi ótima. E, apesar da insegurança inicial e de a Veruska ter desligado o celular para ver a cerimônia fora da sala de transmissão, o que o deixou preocupado, Boechat deu o show de sempre.

Saindo da abertura, já na porta do Maracanã, a galera da Band se reencontrou. Tinha um carro separado para as "estrelas" da transmissão. Ana Paula Padrão rapidamente entrou no carro e seguiu com o motorista. Enquanto decidíamos o que fazer no meio da muvuca, Boechat falou: "Agora é mais fácil ir de metrô. Deixa que aqui eu conheço".

E lá fomos nós: eu, Boechat, Rodolfo, Capriotti e toda a galera que lotou o Maracanã para a abertura dos Jogos Olímpicos.

O problema é que todo mundo parava Boechat a cada dez segundos para tirar uma foto, para bater papo ou fazer um elogio, enquanto a equipe estava cansada, com fome e queria ir embora logo. Dentro do metrô, recebemos orientações:

"Não vai descer aqui, Barão. A próxima estação fica mais perto."

"Tá bom, Boechat."

Saímos do Maracanã e fomos até a zona Sul, com Boechat distribuindo simpatia e aulas das estações do Rio no meio da galera. Foi animal!

*(E.B.)*

# A TRAGÉDIA DOS FRANGOS

A cena era desoladora. Em Guaratiba, na zona Oeste do Rio de Janeiro, o espaço reservado para a vigília e a missa de encerramento da Jornada Mundial da Juventude, com a presença do papa Francisco, foi tomado pela lama. A chuva castigou a região dias antes, e o evento teve de ser transferido para a praia de Copacabana, na zona Sul.

A BandNews FM enviou repórteres ao chamado Campo da Fé, com o objetivo de ouvir moradores e pessoas que tinham comprado produtos, como comida, para vender no domingo, dia 28 de julho de 2013.

Ao vivo, no ar com Boechat, uma mulher lamentou a própria situação:

"Eu perdi tudo. Eu comprei duzentos frangos e não tenho para quem vender."

E ele, como jornalista e curioso que era, perguntou:

"Que tragédia! A senhora comprou esses frangos por quanto, hein?"

A ideia era fazer uma conta. E ela respondeu:

"Comprei a três reais."

Na hora, sem se atentar para o fato em si, ele falou:

"Caramba, três reais?"

E meio que brincou com a situação:

"Olha lá, pagou três reais. Queria até saber onde ela comprou. Está barato esse frango."

A senhora se irritou e, no ar, disse:

"Vocês só podem estar de sacanagem com a minha cara.

Eu estou aqui *fudida*, perdi tudo. Os duzentos frangos que eu comprei, não tenho o que fazer, estou sem dinheiro, e você está rindo da minha cara?"

No mesmo momento, Boechat não sabia onde se enfiar e pediu desculpas:

"Olha, minha senhora, perdão, eu não queria tirar onda com a sua cara."

Ela, no entanto, continuou esculachando Boechat. Ao fim do programa ele ligou para Rodolfo Schneider e deu a ordem:

"Alemão, compra todos os frangos dessa mulher agora. Eu vou bancar essa porra. Liga agora para a repórter que está lá e avisa para pegar a conta da senhora que estou transferindo o dinheiro já."

Mesmo com a conta paga, ninguém soube qual foi o fim dado aos frangos.

# A TEORIA DO VESTIDO VERDE

Com mais de quarenta anos de carreira, Boechat tinha várias teorias para explicar fenômenos do jornalismo no Brasil e dizer o que era ou não notícia, do seu ponto de vista. Gostava do factual – o que acontecia no dia –, mas nunca deixava de sugerir reportagens com base em mensagens de ouvintes da BandNews FM – a principal fonte dele nos últimos anos.

Foi assim quando denunciou, por diversas vezes, a falta de remédios para doentes crônicos em postos de saúde, revelou o abuso na utilização de aviões da Força Aérea Brasileira (FAB) por ministros e outras autoridades e antecipou a informação de que a Vale sabia do risco de uma tragédia em Brumadinho, Minas Gerais. Fato é que ele se indignava com tudo e não cansava de cobrar no ar a responsabilidade de quem quer que fosse.

Em meio à Operação Lava Jato, em seus comentários, uma das coisas que mais o incomodava era a lentidão da Justiça, sobretudo do Supremo Tribunal Federal (STF), no julgamento de políticos envolvidos no esquema que saqueou a Petrobras. Então, ele criou uma historinha para explicar como os advogados atuavam para fazer com que os inquéritos, denúncias e processos se arrastassem por anos. Ele a chamava de "teoria do vestido verde".

A última vez que a utilizou foi em maio de 2017, na coluna que mantinha na *IstoÉ*, quando o então presidente Michel Temer se viu diante da maior crise do seu governo. Na época, o político do Movimento Democrático Brasileiro (MDB) havia sido flagrado dizendo a frase "Tem que manter isso, viu" em uma conversa gravada por um dos sócios da JBS, Joesley

Batista, em um diálogo sobre a prisão de Eduardo Cunha, ex-homem-forte da Câmara. Sem entrar no mérito do diálogo, o chefe do Executivo questionou a qualidade da gravação. Segundo Boechat, esse foi o álibi do emedebista.

Na edição de número 2.475 da revista, ele escreveu:

> Há uma historinha que costumava repetir nos tempos de coluna diária, nas quais ralei por quatro décadas. Começa com uma notícia no jornal: "Um homem branco, de 38 anos, foi flagrado, num terreno baldio próximo a uma escola, abusando sexualmente de uma aluna de 12 anos. Com escoriações e em estado de choque, a menina, cujo vestido verde exibia marcas de sangue, foi levada para exames no Instituto Médico Legal e entregue à família. O criminoso aguardará decisão judicial preso na delegacia do bairro. Uma semana depois, o tarado move ação por calúnia contra o repórter, alegando que o vestido era vermelho".
>
> Não pensem que esse tipo de reação é rara. Perguntem aos advogados. O processo começa, tramita, vai, volta, entre audiências, recursos, intimações e tudo mais, produzindo, enquanto dura, "uma divergência legal relativa ao que foi exposto". Até que a Justiça se coce, no ritmo que conhecemos, o processo se arrasta indefinidamente, embolando fios e postergando resultados. O tempo, claro, joga a favor de quem tem culpa.

Para Boechat, a estratégia era utilizada apenas com o objetivo de postergar o que um dia, quem sabe, seria de fato julgado pela Justiça – ou pelo STF. E dava certo, na avaliação dele, porque os advogados dos figurões – sempre os mesmos – sabiam o caminho da lentidão e as brechas legais existentes no Brasil.

*(P.F.)*

# "NÃO ME FODE, PABLITO!"

Além de ser editor e "fechador" do horário do Boechat na BandNews FM, eu escrevia com ele e o Ronaldo Herdy a coluna assinada por Boechat na *IstoÉ*. As notas, umas 15, eram publicadas semanalmente na internet e na revista.

Fui chamado por ele após uma série de reportagens feitas sobre o uso de aviões da FAB por ministros e outras autoridades, além de obter informações exclusivas sobre inquéritos da Lava Jato, processos no Supremo Tribunal Federal e bastidores do governo.

Mas ele era exigente! No início, como um bom professor, eu escrevia as notas e Boechat as reescrevia e me orientava como deveria ser feito. Foram semanas e meses até que ele tivesse confiança e achasse que eu estava pronto para enviar as notas ao Herdy, companheiro dele de longa data e responsável por reunir o material, decidir o que seria publicado e fechar a página.

Fazer coluna é muito diferente do jornalismo de rádio, TV ou até mesmo jornal. Como dizia Boechat, você tem que dar o tiro certeiro. Dar a informação e fazer com que o leitor se interesse por aquilo logo de cara. Ele vivia dando exemplos e, assim como na rádio, tinha o costume de soltar a frase que mais escutei ao longo dos sete anos ao lado dele: "Não me fode, Pablito!".

Ele queria o melhor, o inusitado, os bastidores, e quando eu surgia com alguma nota que trouxesse dados interessantes, mesmo que exclusivos, ele soltava: "Pablito, interessante é o cu do elefante!".

Ao longo do tempo, fui conquistando novas fontes – aquelas pessoas que poderiam garantir notícias exclusivas – e, com ele, aprendi que nem todas eram confiáveis. Na maioria dos casos, havia um interesse por trás daquilo tudo.

Eu sabia que aquela oportunidade na revista não surgiria novamente e, por pura pressão, me adaptei. Os elogios me motivavam a tocar o barco.

*(P.F.)*

# ETERNO CANTINHO

Todos os dias Boechat seguia uma espécie de ritual antes de entrar ao vivo na BandNews FM, às 7:30 horas. Na maioria das vezes, ele buzinava na entrada do pátio e estacionava o velho Twingo por volta das 7:00 horas no estacionamento da Band. O horário, às vezes, falhava, mas o ritual era mantido, mesmo que fosse necessário atrasar o início do programa por um, dois ou dez minutos. Até porque ele sempre colocava a culpa no Barão, a ponto de a nossa diretora, Sheila Magalhães, cobrá-lo pelo atraso.

Cheio de jornais debaixo do braço, Boechat, sempre que chegava, dava bom-dia a todo mundo, fazia uma ou outra brincadeira, largava a velha maleta – lotada de papéis – ao lado da cadeira dele no estúdio e voltava à redação com a pergunta que não falhava: "Valota, tem café? Te amo".

Valota é o jornalista Ricardo Valota, que já passou por várias redações, como as do *O Estado de S. Paulo* e da Jovem Pan, fazendo a checagem de ocorrências policiais e que trabalhou nas madrugadas da BandNews FM. Boechat tinha o costume de dizer que se casaria com ele caso o café estivesse incluído no pacote. Curioso é que Boechat sequer enchia o copo. Ele tomava um dedo de café, nada além disso. E lamentava sempre o fato de às segundas-feiras Valota não encontrá-lo na redação, por estar de folga.

Com o cafezinho na mão, Boechat saía junto comigo para fumar um cigarro e ler os jornais. No caminho, perguntava: "Pablito, tem algo novo?".

Se havia, eu adiantava o assunto. Às vezes, ele pedia alguma informação maluca – impossível de apurar em tão pouco tempo – que só ficava pronta quando Boechat já estava no ar.

Por mais incrível que pareça, por vários anos, sentamos ele e eu, diariamente, em um cano do estacionamento – que evitava que os carros destruíssem o jardim da Band – e, ali, no chão mesmo, ele despejava todos os jornais. Lia ao menos três: *Folha*, *Estadão* e *O Globo*. Era o momento de ele saber o que estava acontecendo e o que poderia comentar ao longo do programa. Invariavelmente, pedia uma informação adicional ou algum dado específico para utilizar no ar. O mesmo fazia quando havia algum áudio interessante que pudesse compor o material.

Pouco antes da tragédia, no entanto, alguém pensou na idade do Boechat, já um sessentão. Com um tijolo e um pedaço de madeira, o cinegrafista Anísio Barros criou uma espécie de banquinho e o nomeou como "Cantinho do Boecht" – isso mesmo, sem a letra *a*. Eu me lembro da felicidade dele no primeiro dia que o viu: "Pablito, sabe quem fez?".

Eu também não sabia. Descobri junto com ele, já em 2019. Eu continuei no cano, no meu espaço diário de aprendizado.

Com café tomado, cigarro fumado e notícias lidas, Boechat voltava para a redação, abria a porta do estúdio e começava o programa: "Bom dia, bom dia, eu sou Ricardo Boechat, essa é a BandNews FM…".

Mesmo após a morte do Boechat, o cantinho dele continua como uma espécie de homenagem no pátio da Band.

(P.F.)

# CORAÇÃO GIGANTE

O que poucos sabem é que Boechat tinha um coração gigante e usava o próprio dinheiro para ajudar pessoas que nem mesmo conhecia. Ele acreditava demais na palavra daqueles que o procuravam. Muitas vezes, o pedido vinha da rádio e, mesmo assim, se estivesse ao alcance dele, não pensava duas vezes.

Não raro, pagou cursos, faculdades e até tratamentos médicos com o salário que recebia da Band e a grana extra que obtinha com eventos, como aquele do qual participou horas antes de o helicóptero em que ele estava cair na rodovia Anhanguera, em São Paulo.

Ricardo Boechat ajudava famílias inteiras e, se estivesse por aqui, não gostaria que este texto fosse publicado. Dias antes de morrer, pediu para Rodolfo Schneider, do Rio de Janeiro, arrumar um ônibus e levar pessoas para doar sangue no Hemorio. Deu tudo certo!

Aos mais próximos, Boechat contava que fazia algumas palestras apenas para bancar as ações de caridade com as quais havia se comprometido. Ele tinha até um livrinho, um caderninho, uma espécie de contabilidade, em que anotava quem estava ajudando.

Em um dos casos, ele decidiu dar assistência a um menino que tinha atrofia muscular espinhal (AME), doença degenerativa que atinge a coluna de crianças e que, na maioria das vezes, culmina na morte do paciente. O pai havia procurado a rádio e Boechat pediu para levarem o garoto para São Paulo. A ideia era que ele fosse atendido pelo maior especialista no assunto e, se possível, dar o máximo de qualidade de vida ao menino.

Chegando a São Paulo para o tratamento, houve algum problema com a reserva do hotel e, sem pensar duas vezes, Boechat levou o pai e a criança para dormirem na casa dele, sem tê-los visto uma única vez na vida. Consulta feita, foi definido um tratamento, que Boechat bancou por completo, sem contar a ajuda financeira dada à família. A criança morreu pouco tempo depois e o enterro também foi pago por Boechat.

São tantas as histórias que nem mesmo a família dele conhecia todas. Era Boechat sendo Boechat, aberto às críticas e aos elogios – às vezes, um pouco avesso –, mas sempre pronto para agir quando algo tocava o seu coração.

Logo após a tragédia, Veruska foi até o banco onde ele mantinha conta, e a gerente, Roberta Napole, revelou que ele pagava diversas mensalidades de universidades e pelo menos quatro planos de saúde. Uma espécie de segredo que só quem era ajudado poderia agradecer.

# FALTA NO TRABALHO ABONADA

Além do carisma, Boechat tinha algo que não se vê tanto no meio jornalístico. Muitos se acham acima do bem e do mal e utilizam o prestígio, com frequência, para se afastar do público. Sabe aquele que não conversa, não dá autógrafo, passa reto? Então, não era o tipo do Boechat.

Uma das histórias mais surreais dele envolveu uma crítica de cinema. Ieda Marcondes pegou com Boechat, em 2015, um voo entre Rio de Janeiro e São Paulo. Num primeiro momento, Ieda apenas admirou: "Ao entrar no avião, vi Boechat na primeira cadeira".

Ela não contava, no entanto, que o mau tempo na cidade de São Paulo faria com que o avião tivesse que voltar ao Rio de Janeiro. Ao retornar para o Galeão, foi obrigada a remarcar o voo e ir para o hotel indicado pela companhia aérea, onde passou a noite. Era domingo. Na segunda-feira, Ieda tinha que estar no trabalho e não se sabe por que a companhia aérea não entregou a ela um documento que justificasse a sua ausência. Falta garantida!

Foi então que ela teve a ideia de enviar uma mensagem de e-mail para Boechat, já que ele estava no voo entre o Rio de Janeiro e São Paulo. Ela pedia que respondesse à mensagem para se explicar no trabalho.

Ieda não contava com o inusitado. Boechat leu a mensagem e decidiu ir pessoalmente conversar com a chefe da crítica de cinema: "Eu estava sentada trabalhando na empresa e me avisaram que ele tinha ido até lá e queria falar comigo".

Nas redes sociais, ela relembrou aquele dia:

Em 2015, meu voo foi cancelado e perdi um dia de trabalho. A companhia aérea não me deu documento algum que eu pudesse levar no trabalho e ter a minha falta abonada. Boechat estava no voo, escrevi para ele pedindo ajuda e ele FOI ATÉ O MEU TRABALHO FALAR COM A MINHA CHEFE.

Ieda não só teve a falta abonada pela chefe – o que era de esperar –, como ainda tirou uma foto com Boechat. Depois daquilo, conta que virou piada: "A Ieda traz o Boechat aqui para compensar".

# ARTE E CIÊNCIA: O MECENAS OCULTO

Boechat era apaixonado por cultura e ciência, apaixonado de verdade. Era um cara que entendia de quadros, exposições, livros e adorava um novo estudo, uma nova descoberta. Viajava o mundo em companhia da família, muitas vezes só para ver alguma mostra ou visitar um museu.

Na BandNews FM, falava do assunto como ninguém e sempre aproveitava a descoberta de um novo planeta parecido com a Terra para declarar que já estava comprando a primeira passagem. A ideia era se livrar das mazelas do mundo, sobretudo as produzidas por políticos no Brasil.

Era também um mecenas oculto. Queria levar cultura àqueles que não tinham acesso. Não queria que seu nome aparecesse e sempre agia de forma muito discreta. Foi assim com a Orquestra Sinfônica Brasileira, no Rio de Janeiro, que passava por dificuldades financeiras. Sem dinheiro, as apresentações estavam sob o risco de serem canceladas. Mas, em 2018, Boechat garantiu a realização de um dos eventos. Comprou metade dos ingressos e mandou distribuir entre os ouvintes da BandNews Fluminense FM: "A prioridade são idosos e crianças. Os idosos porque ganham mal e não têm possibilidade de ir à apresentação, e as crianças, para aprenderem a gostar de música erudita".

E foi por sugestão de uma ouvinte, em uma mensagem lida no ar por Boechat, que o AquaRio decidiu criar um projeto voltado apenas às crianças autistas. A visita gratuita é realizada no último domingo de cada mês, a partir das 8:30 horas. A programação, uma parceria com o grupo CapaciTEAutismo, é especial, com o apoio de voluntários e luzes acesas durante todo o circuito. A iniciativa rendeu a Boechat uma homenagem depois da sua morte. Um tubarão-martelo (*Sphyrna tiburo*) foi batizado com o nome dele.

A espécie, segundo o AquaRio, é conhecida por ser um grande farejador de campos eletromagnéticos, assim como Boechat era no jornalismo: um grande farejador de notícias.

# PRESSÃO! #SQN

Boechat sempre teve liberdade para dizer exatamente o que pensava no microfone da BandNews FM, e ele soube aproveitar esse espaço como poucos. Fez denúncias e atacou quem achou que devia atacar. As críticas quase sempre eram endereçadas aos privilegiados, aos poderosos, normalmente políticos.

E esse tipo de figura em geral usa artimanhas abomináveis, que não sei se um dia vão mudar. Numa tentativa de constrangimento, os tais figurões chegam a ligar para diretores de empresas jornalísticas. O objetivo é fazer pressão, cobrar uma retratação, questionar as informações divulgadas, os exageros e, no caso do Boechat, fazer eventuais xingamentos.

As ligações eram quase que diárias e envolviam políticos de cargos e partidos diferentes. Em comum, todos foram alvos da língua afiada do Boechat e se queixavam do que consideravam "injustiças". Por anos, a diretoria da Band matou no peito e quase nunca passou o assunto adiante. Eventualmente, havia uma conversa sobre algum exagero, como, por exemplo, quando Boechat desejava a morte de alguém. Mas o assunto, na grande maioria das vezes, se encerrava rapidamente.

Em uma das ocasiões, a situação virou piada interna. Boechat detonou um ministro da Comunicação que só viajava para fora do país e usou dinheiro do Senado para passear com a família nos Estados Unidos. Não vou dar o nome do sujeito porque foram tantas as ligações e pressões durante anos que não vale a pena citar apenas um nome. Esse caso, no entanto, foi engraçado.

O vice-presidente das rádios do Grupo Bandeirantes, Mário Baccei, estava dirigindo na marginal do Tietê, em São Paulo, quando recebeu a ligação do gabinete do ministro. O roteiro é bem parecido: "Se não houver uma retratação do Boechat, vou processar a rádio".

Acostumado à pressão, Baccei rebateu imediatamente: "Então processa e não precisa mais ligar".

Eu era chefe de redação da rádio na época; Baccei me ligou para dizer o que tinha acontecido, e o jornal transcorreu normalmente. Naquele dia, Boechat terminou um pouquinho mais cedo, antes das nove da manhã: era comemoração do Dia dos Pais na escola das crianças.

Para surpresa geral, Baccei recebeu uma nova ligação de Brasília, do mesmo gabinete do ministro: "Baccei, não precisava ter tirado o Boechat do ar. Não era para tudo isso. Põe ele de volta".

Rindo por dentro, Baccei mostrou "autoridade": "Comigo é assim mesmo. E passe muito bem".

Nunca mais esse figurão voltou a ligar para pressionar. Mas Boechat e Baccei davam gargalhadas sempre que se lembravam dessa história.

*(E.B.)*

# A DEPRESSÃO

Boechat estava estranho como nunca se tinha visto. Ele havia acabado de voltar das férias. Passou uns dias no apartamento dele, em Nova York, e comentou que mal tinha saído para passear: "Só saía para almoçar, voltava e dormia muito".

Não era normal. A cada dia, o editorial de abertura, sempre brilhante todas as manhãs, se tornava um fardo, como se ele estivesse diariamente escalando o Everest. Eu tentava brincar, tirar sarro, divertir. Mas ele não reagia, apesar de fazer um esforço sobre-humano para parecer normal.

"Vai ver isso, Boechat. Deve ser algo fácil de resolver."

"Não tenho nada, Baronete. Não sinto dor."

"Já tive um amigo que teve e só se curou com ajuda. Procure um médico."

Ele não procurou e sofreu durante semanas, piorando a cada dia. Era visível que não estava bem, apesar de nunca deixar transparecer no ar. Era um sofrimento para ele e para nós, que víamos todos os dias aquela fortaleza de vida se transformar em um ser humano frágil, quase indefeso. Muito triste.

Um dia, faltando poucos minutos para o noticiário ir ao ar, ele não havia conseguido encontrar, em meio aos jornais, alguma notícia para fazer seu comentário: "Baronete, hoje não vai dar. Nada está fazendo sentido". E foi do estúdio direto para o camarim, onde se trancou e só saiu horas depois quando a Doce Veruska chegou.

Foi uma barra-pesadíssima. Primeiro, porque tivemos de tocar a rádio por mais de um mês preocupados com a recuperação dele. Segundo, porque não dissemos no ar que Boechat estava se recuperando de uma depressão. Não tínhamos esse direito. Só que isso abriu espaço para todas as teorias de conspiração, inclusive a de que a Band teria se rendido às exigências de algum político e censurado Boechat por algum ataque. Isso nunca aconteceu!

Felizmente, após ser tratado, Boechat voltou. Ele nunca ficou curado, mas aprendeu a lidar com os males da depressão e largou os remédios. Mesmo assim, a tristeza ainda batia forte em alguns dias.

Após ler esta carta no ar, Boechat se tornou referência e deu voz para muita gente que sentia vergonha de falar sobre o assunto:

> Acho que devo uma explicação às centenas de pessoas que me escreveram nos últimos dias perguntando o que eu tinha e desejando minha pronta recuperação.
>
> Pois bem, queridos amigos, o que eu tive foi um surto depressivo agudo. Minutos antes de começar o programa de rádio da quarta-feira retrasada eu simplesmente sofri um colapso, um apagão aqui no estúdio. Nada na minha cabeça fazia sentido. Nenhum texto era compreensível. Os pensamentos não fechavam e uma pressão insuportável dava a nítida sensação de que o peito ia explodir. Fiquei completamente desnorteado e achei melhor me refugiar no meu camarim e esperar socorro médico. Quando finalmente minha Doce Veruska me levou ao doutor e eu descrevi o que estava sentindo, ele foi categórico em dizer que era depressão. Que o estado de pânico, a balbúrdia mental, a insegurança e tudo o mais eram sintomas clássicos do surto depressivo.

Quem cai num quadro desses perde qualquer condição de continuar ativo, de pensar as coisas mais simples. A pessoa morre ficando viva.

E eu fiquei impressionado nestes dias com a quantidade de gente que sofre do mesmo problema. Quando contei a alguns ouvintes que me ligaram o que estava acontecendo, muitos disseram já ter passado por isso, ou conhecer alguém que ainda passa ou já passou.

Barão me mostrou um vídeo produzido pela ONU indicando que esse fenômeno é global. Uma amiga minha citou números da Organização Mundial da Saúde afirmando que a depressão é a doença que mais cresce no mundo. E Bruno Venditti me mandou um texto muito bom do pregador Élder Holland sobre o assunto.

Tanto o vídeo da ONU quanto esse texto deixam claro que é importante não esconder a doença, não esconder a depressão. Não tratá-la na clandestinidade. É importante aceitá-la para combatê-la – e todo o silêncio, do próprio doente ou de quem está à sua volta, dificulta a recuperação. Essa necessidade de não fazer segredo, além da sinceridade que faço questão de manter na relação com os ouvintes, é a razão deste depoimento pessoal.

O texto que eu li fala do "transtorno depressivo maior", lembrando que isso não significa apenas um dia ruim, ou um contratempo, ou momentos de desânimo ou ansiedade, que são coisas que todos temos normalmente.

A depressão é muito mais que isso e muito mais séria. É uma aflição tão severa que restringe a capacidade de uma pessoa funcionar plenamente, um abismo mental tão profundo que ninguém pode achar que vai se safar apenas endireitando os ombros ou pensando coisas positivas.

Não, minha gente, essa escuridão da mente e do estado de espírito é mais do que um simples desânimo. É um desequilíbrio da química cerebral, algo tão físico quanto uma fratura óssea, ou um tumor maligno. É um fenômeno que atinge todo mundo: quem perde um ente querido, mães jovens com depressão pós-parto, estudantes ansiosos, militares veteranos, idosos de uma maneira geral e pais preocupados com o sustento da família.

A depressão não escolhe vítimas por seu grau de instrução ou situação econômica. Castiga sem piedade e da mesma forma pobres e ricos, anônimos e famosos.

Os médicos que estão me tratando disseram que eu estiquei a corda demais, que fiz mais coisas do que deveria fazer e em menos tempo do que seria razoável. Eu fui além dos limites que minha saúde permitia e ignorei todos os sinais físicos e avisos domésticos. Quantas vezes minha Doce Veruska me disse: "Você vai pifar! Você vai pifar!"...

O texto que eu li ensina que para prevenir a doença da depressão é preciso estar atento aos indicadores de estresse em sua própria vida. Assim como fazemos com nosso carro, é fundamental observar a temperatura do nosso motor interno, os limites de nossa velocidade, ou o nível de combustível que temos no tanque. Quando ocorre a "depressão por exaustão", que foi o meu caso, é preciso fazer os ajustes necessários. A fadiga é o inimigo comum e recuperar forças passa a ser uma questão de sobrevivência.

A experiência mostra que, se não reservarmos um tempo para nos sentirmos bem, sem dúvida depois teremos que despender tempo passando mal. E foi o que aconteceu. Mas a cura existe. Às vezes requer tratamentos demorados. Mas, como está no texto que eu li, "mentes despedaçadas também podem ser curadas, assim como corações partidos".

Eu sei que quem liga o rádio numa estação de notícias quer receber informações de interesse geral, quer saber da política, da economia, dos acidentes, do engarrafamento nosso de cada dia.

Então peço desculpas por não entregar nada disso a vocês neste papo inicial no dia de minha volta. Nada de impeachment, de renúncia, de Cunha, de Renan, de inflação, de ajuste fiscal e de tantas outras coisas que só têm infernizado nossas vidas, mas que são as manchetes do momento.

Não falei neste bate-papo nem mesmo das abobrinhas de que eu gosto tanto e que nos ajudam a cumprir a jornada diária sofrendo menos.

Este papo de hoje é sobre depressão. Um mal que afeta milhões de pessoas, milhares delas no Brasil, um mal sobre o qual é preciso estar informado e não fazer segredo.

Como eu agora me descobri fazendo parte dessa população doente, pensei muito nas noites sem dormir dos últimos dias e tomei a decisão de dividir essa experiência com vocês. Se com isso eu conseguir ajudar algum ouvinte a prevenir a depressão ou a curá-la, já me dou por satisfeito.

E toca o barco.

Na última entrevista que me deu, ele disse que, depois dessa revelação, passou a ser convidado para dar palestras sobre depressão, mais do que qualquer outro assunto. E brincou: "Se soubesse que a depressão me daria essa grana, já teria tido há muito tempo".

*(E.B.)*

# FALA, JACARÉ!

O atual presidente da República, Jair Bolsonaro, sempre foi uma fonte da coluna do Boechat, desde os tempos de *O Globo* e do *Jornal do Brasil*.

Jacaré, como ambos se chamavam, sequer era político, mas passava notícias em primeira mão, matéria-prima para quem atua com material exclusivo. Inicialmente no Exército e, depois, no Congresso.

Apesar da boa relação, os dois nunca foram amigos. Bolsonaro chamava Boechat de comunista, enquanto Boechat chamava Bolsonaro de fascista. Tudo na brincadeira.

Na campanha vitoriosa à presidência, no primeiro turno, Bolsonaro chegou a participar do primeiro debate na Band, mas após o ataque à faca em Juiz de Fora, Minas Gerais, ele não compareceu a mais nenhum encontro na TV.

No segundo turno, quando Bolsonaro já se recuperava em sua casa na Barra da Tijuca, no Rio de Janeiro, Boechat se envolveu diretamente na tentativa de convencer o futuro presidente a debater com o adversário, Fernando Haddad, do Partido dos Trabalhadores (PT), no segundo turno.

O papel de um mediador, normalmente, se limita a bater pênaltis e apresentar o debate. Existe uma produção prévia gigantesca, que envolve desde as negociações com os partidos, a definição de regras, a logística, segurança e convidados, além da cobertura jornalística da Band e de outros veículos de comunicação. É uma organização monstruosa que levou a Band a ser reconhecida internacionalmente. Por esse motivo, Boechat viajou e participou de congressos em vários países.

Voltando à tentativa de conseguir convencer Bolsonaro, Boechat fez de tudo. Mas logo de cara, ele percebeu que a coordenação da campanha era fragmentada demais. Tentou com a ala dos militares, sem sucesso. Conversou com lideranças do PSL, partido de Bolsonaro, e nada. Chegou a propor aos filhos dele que o debate fosse realizado em um hotel próximo à residência do então candidato na Barra da Tijuca, e não na sede da Band, em São Paulo. Tudo isso com o consentimento do adversário, Fernando Haddad, que, atrás nas pesquisas, topou ir ao Rio. Também não rolou.

Ao final, Boechat desabafou: "Ofereci tudo que pude, defendi o debate até o fim, propondo soluções que a Band nem me deu autorização para negociar. Ele não quer. Não posso fazer mais nada". O debate não foi realizado, nem na Band, nem em qualquer outra emissora no segundo turno.

Depois disso, nunca mais um Jacaré falou com o outro.

# AMIGO DE MAITÊ PROENÇA

Ricardo Boechat era padrinho da filha do empresário Paulo Marinho com a atriz Maitê Proença, de quem se tornou grande amigo. Juntos, passaram por alguns perrengues, e um deles foi em 1987, quando Boechat era secretário estadual de Comunicação no Rio de Janeiro. Ficou apenas seis meses no cargo e dizia ter sido o pior período de sua vida. Na época, ele vivia na capital e os filhos em Niterói.

Em um sábado de manhã, como não tinha carro, Boechat não pensou duas vezes e pediu o da Maitê – o mais novo e bonito que existia – emprestado. Era um Monza, fabricado pela General Motors (GM). Um dos mais desejados na época.

Boechat vestiu bermuda e camiseta, calçou chinelos de dedo e pegou o volante para ver os filhos, com um pequeno detalhe: ele não tinha carteira de habilitação. E ele fazia isso desde os 15 anos.

Na ponte Rio-Niterói, o Monza da Maitê Proença, sem a atriz, foi parado pela Polícia Rodoviária Federal. Naquela época, Boechat não aparecia na TV e, por isso, não tinha o rosto conhecido. O agente logo pediu:

"Por favor, a habilitação."

"Olha, seu guarda, eu não tenho, não", disse Boechat.

"Você não tem habilitação? Então sai do carro."

O policial olhou-o de cima a baixo e perguntou:

"Esse carro é seu?"

"Não, não é meu. É da minha comadre", afirmou.

"Os documentos do carro. E como chama sua comadre?"

"Maitê Proença." Isso no auge da carreira dela.

"A atriz?"

"Sim, a atriz."

O guarda chamou outro guarda e mandou Boechat repetir a história. E, sem acreditar, perguntou de novo:

"Quer dizer que a sua comadre é a atriz Maitê Proença e ela te emprestou esse carro? E você não tem habilitação e está dirigindo de chinelos de dedo, que é proibido?"

"É, seu guarda. É isso."

E o policial:

"E quem é esse cara que é dono do carro, que está no documento?"

Era o pai da Maitê Proença, mas Boechat não sabia o nome dele.

Não deu outra: Boechat foi preso.

Chegando à delegacia, ele teve que registrar as digitais e foi autuado por dirigir sem habilitação. Isso tudo sendo secretário estadual de Comunicação. Boechat não ligou para Maitê Proença, mas para um advogado, que o tirou da cadeia.

Dois dias depois, o procurador-geral do estado ligou para ele:

"Boechat, você foi preso?"

"Fui."

"Mas como você foi preso? Você é secretário de estado!"

A conversa parou por aí e a punição não passou de uma bronca.

Anos depois, ele mesmo admitiu que estava errado e disse que, se fosse o guarda, também o prenderia por contar uma história como aquela.

# MAIS APUROS: SOCORRO!

Não bastasse ser preso na ponte Rio-Niterói, Ricardo Boechat passou outro apuro com a amiga, a atriz Maitê Proença. Os dois estavam na estrada e pararam para socorrer um homem que havia sido atropelado.

Foi uma semana com vários desabamentos no Rio de Janeiro e os atendimentos de emergência estavam todos lotados. Demorou, mas eles conseguiram uma vaga para aquele homem e um médico que pudesse atendê-lo.

Na saída, dois policiais falaram com eles, e um sugeriu:

"Quem garante que não foram vocês que atropelaram aquele homem?"

Nervosa, Maitê quis pular no pescoço do policial. Foi segurada pelo amigo e compadre, em um momento que ela mesma classificou como de grande aflição.

O homem sobreviveu.

# BOATE KISS: 242 DIAS DE REVOLTA

Eu me lembro até hoje do sentimento de revolta do Boechat com a tragédia da boate Kiss, em Santa Maria, no Rio Grande do Sul. O incêndio, ocorrido no dia 27 de janeiro de 2013, ceifou a vida de 242 jovens.

Abalado como nunca o tinha visto, Boechat queria histórias. Queria saber quem eram aquelas vítimas, o que faziam e o que desejavam para o futuro. Mesmo no domingo, ele nos questionava sobre tudo o que havia acontecido. "Como começou o incêndio? Quem acendeu o sinalizador? Qual era a banda que tocava? Por que as pessoas não conseguiram sair?"

Estávamos de plantão, eu e Maiara Bastianello, que no mesmo dia viajou para Santa Maria. Logo no começo da manhã, conseguimos falar com um dos DJs que tocavam na festa, sobreviventes, autoridades e outros envolvidos na tragédia. A primeira informação dava conta de vinte mortos. Mas o número não parava de crescer.

Um dos relatos obtidos naquele dia foi o de uma jovem que chegou a ser impedida de sair da casa noturna por seguranças que exigiam o pagamento da comanda. Boechat, que já estava revoltado, ficou louco – louco mesmo.

Na segunda-feira, o clima era de consternação. Boechat queria falar com todo mundo que fosse possível, incluindo os repórteres enviados à região. Ele queria mais histórias e quase não se conteve ao ouvir de um bombeiro que muitas vítimas morreram no banheiro – por onde tentaram fugir – e que os celulares delas ainda tocavam.

No meio de tudo aquilo, surge um herói. Um jovem que não pôde abraçar a família depois de salvar 14 pessoas na noite da tragédia. Estudante de educação física, Vinicius Montardo Rosado tinha 26 anos, era jogador de rúgbi e tinha ido à boate com a irmã. Ajudando no resgate das vítimas, acabou morrendo, intoxicado pela fumaça, causa do óbito da maioria das vítimas. Maiara descobriu a história do herói ao ouvir uma conversa em frente à boate. Foi então que ela começou a fazer um dos relatos mais comoventes em meio à tragédia.

Depois de ouvir a história daquele jovem, Maiara perguntou se o pai dele, Ogier Rosado, não falaria ao vivo com Boechat na BandNews FM. Ele topou, ainda com dor no coração. Os dois conversaram por mais de meia hora. Boechat queria saber tudo sobre Vinicius e, naquele momento, acabou se tornando um ombro amigo para os parentes, que precisavam muito desabafar. Vinicius era conhecido pelo bordão "Ah, muleque!", expressão que foi escolhida como nome de uma organização não governamental de apoio às famílias.

Dali em diante, Boechat decidiu fazer algo que nunca tinha feito. Para que aquela tragédia nunca fosse esquecida, nós nos lembraríamos dela no ar por 242 dias, sem falta. O número de vítimas do incêndio. Era uma forma de homenagear aqueles jovens e pressionar as autoridades para que alguém fosse responsabilizado.

Boechat morreu e, até hoje, ninguém – ninguém mesmo – foi punido. Logo depois do acidente com o nosso Carequinha, o pai de Vinicius fez questão de enviar uma mensagem à Maiara. Só queria oferecer um ombro amigo.

(P.F.)

# O RAPPA: FÃ E ÍDOLO

Boechat era fã de O Rappa e O Rappa era fã do Boechat. Foram inúmeras as vezes em que o jornalista e os integrantes da banda trocaram elogios no ar ou fora dele. Tornaram-se amigos ao longo dos últimos anos por partilharem do mesmo entendimento sobre o Brasil. A banda expunha suas ideias em forma de música, e Boechat, em seus comentários diários na BandNews FM e no *Jornal da Band*.

Em setembro de 2013, Boechat chegou a utilizar uma música de O Rappa, *Auto-reverse*, para abrir o jornal na BandNews FM, e traçou um paralelo entre as letras da banda e a atual situação do país. Estávamos no governo Dilma Rousseff e vivíamos um momento conturbado, uma pré-eleição que mostrava um país cada vez mais polarizado.

Felizes, de uma maneira geral, geral
Estamos vivos
Aqui agora brilhando como um cristal
Somos luzes que faíscam no caos
E vozes abrindo um grande canal

Nós estamos na linha do tiro
Caçando os dias em horas vazias, vizinhos do cão
Mas sempre rindo e cantando, nunca em vão

Uma doce família que tem a mania
De achar alegria, motivo e razão

Onde dizem que não
Aí que tá a mágica, meu irmão

Naquela época, Boechat foi chamado pelo O Rappa para escrever o texto que apresentaria o novo CD da banda. Ele ficou envaidecido com o convite, mas exagerou na mão. Escreveu um texto tão grande que a mensagem não coube no espaço reservado pela banda. O problema é que o grupo gostou tanto que mandou refazer a arte do disco para incluir o texto completo. Boechat, como era, conseguiu atrasar a venda do CD. Ainda em 2013, abriu um dos shows d'O Rappa no Rio de Janeiro, sem saber que o faria. Foi chamado ao palco de última hora. Ficou tremendo, mas não resistiu. A galera foi ao delírio.

"O coração de 61 anos foi submetido a duas grandes emoções. A primeira, quando O Rappa me convidou para apresentar o disco de vinte anos. A segunda, lá no camarim, o pessoal da banda perguntou: quer encarar o público e anunciar a entrada d'O Rappa? Eu tremi e estou tremendo agora, mas não resisti à tentação. E queria dizer para vocês o seguinte: nunca tem fim mesmo. A luta continua, minha gente."

A ideia foi tão bem-recebida que, cinco anos depois, na última turnê da banda, todos os shows d'O Rappa foram abertos por Ricardo Boechat. Gravada, a mensagem era exibida no telão antes mesmo da entrada de Falcão, Lobato, Xandão e Lauro Farias. Era a despedida do grupo depois de 25 anos, e ele, mais uma vez, estava lá:

Salve rapaziada, salve a juventude. Somos vozes na linha do tiro e também estamos brilhando no caos. Nós estamos aqui hoje para participar de uma noite histórica. Esta noite que não vai se apagar de nossas mentes, que jamais deixará nossos corações. A noite do último show d'O Rappa [...]. O Rappa pede passagem para dar um tempo [...]. Talvez um até já, um até logo, mas um tempo que será dono de si e do seu destino. Que o nosso grito seja o mais alto de todos, para cantar e agradecer por todas as viagens que fizemos juntos, na mesma onda, no mesmo barco. Obrigado, O Rappa, por nos unir. O Rappa é espírito e matéria. É alma e corpo. É sonho e luta. O Rappa, minha gente, não está partindo. Está virando luz [...]. Valeu, meus irmãos.

Até os últimos dias, Boechat expressava, sempre que possível, a ligação e o carinho que tinha com os integrantes d'O Rappa. No dia da queda do helicóptero, em um vídeo postado na internet, Falcão, chorando, resumiu o que era, visivelmente, recíproco: "Acordei arrebentado. Perdi meu ídolo máximo".

# BOM DIA BRASIL

Minha experiência com Boechat começou bem antes de encontrá-lo pela primeira vez. Aos 18 anos, fui radioescuta da Jovem Pan, quando ainda cursava jornalismo na Universidade Metodista de São Paulo, em São Bernardo do Campo, no ABC Paulista.

Enquanto dava meus primeiros passos na profissão, Boechat já tinha uma longa estrada e, à época, fazia aparições diárias no *Bom Dia Brasil*, da TV Globo, ao lado de Renato Machado e Leilane Neubarth. Na JP, meu papel era ouvir o que ia ao ar em outras emissoras e alertar à chefia sempre que houvesse alguma notícia que a rádio não tinha.

O meu chefe direto nessa época era o Anchieta Filho, importante jornalista paraibano e palmeirense, que sempre me serviu de inspiração na carreira. Anchieta era muito direto, franco, severo e justo. Tudo o que um estagiário precisa para aprender. Todos os dias ele dizia: "Barão, fica esperto com o que aquele carioca (Boechat) vai dizer no *Bom Dia Brasil*".

No fim da década de 1990, a internet ainda engatinhava e, por isso, era fundamental ter atenção e acompanhar a informação com cuidado. Depois, seria muito difícil recuperar o que havia sido dito.

Anos mais tarde, já na Band, contei essa história ao Boechat e a resposta não foi a que eu imaginava: "Barão, era um sacrifício acordar cedo todos os dias para estar, minimamente, pronto com uma notícia de bastidores".

A mudança de empresa fez muito bem a ele.

*(E.B.)*

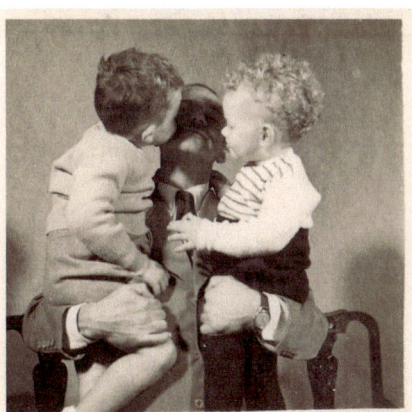

Retratos de infância: Mercedes e Dalton estão com os filhos mais velhos: Beatriz, Ricardo e Carlos Roberto (no alto); Carlos Roberto e Ricardo aparecem no colo do pai e na bicicleta (acima).

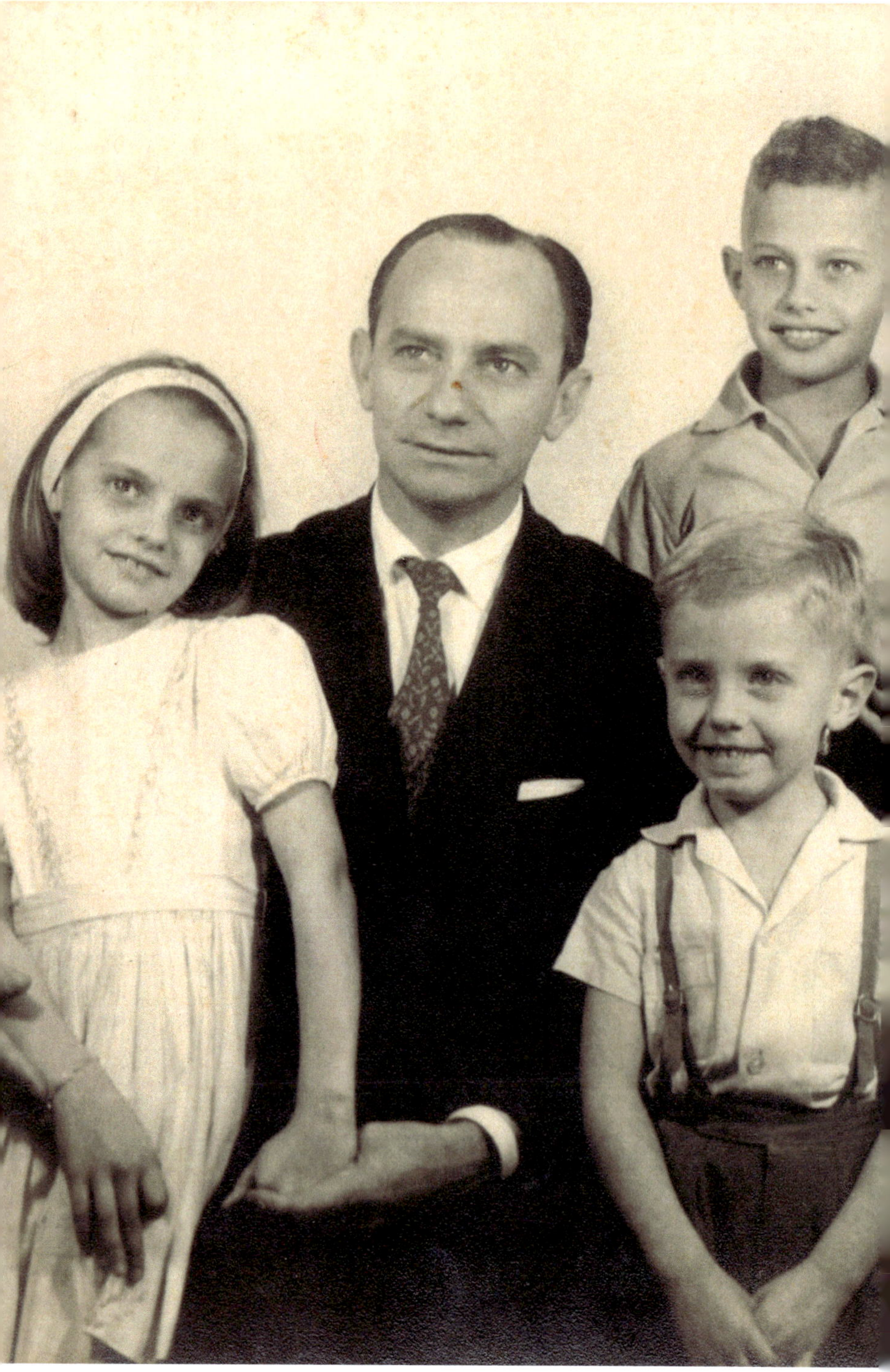

Dalton e Mercedes tiveram sete filhos. Na foto, estão com Beatriz, Ricardo (atrás, no centro), Carlos Roberto (atrás, à direita), e Sérgio e Alexandre (à frente). Os dois caçulas, César e Dalton Filho, não tinham nascido ainda.

Boechat começou a carreira no *Diário de Notícias*, em 1971, ao lado de Ibrahim Sued, que inovou o colunismo social (no alto).

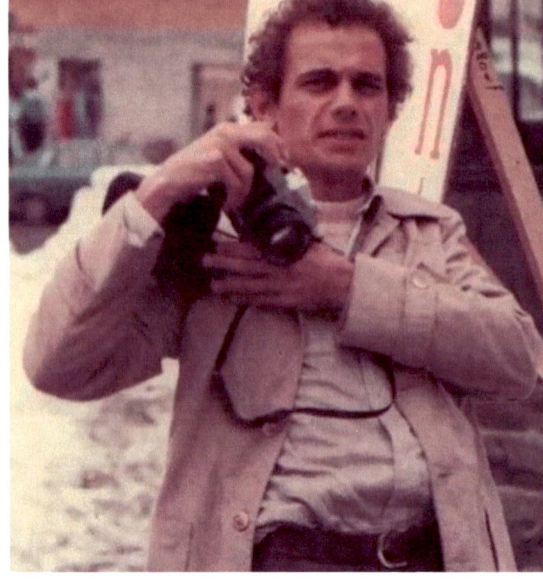

Os furos, as notas exclusivas e os muitos prêmios o levaram do jornalismo impresso para a TV.

Em 1983, ele ganhou uma coluna em *O Globo* e, em 1996, passou a fazer o *Bom Dia Brasil*, na TV Globo.

No estúdio do *Jornal da Band*: Boechat entrou para o grupo em 2005, inicialmente na BandNews FM do Rio de Janeiro.

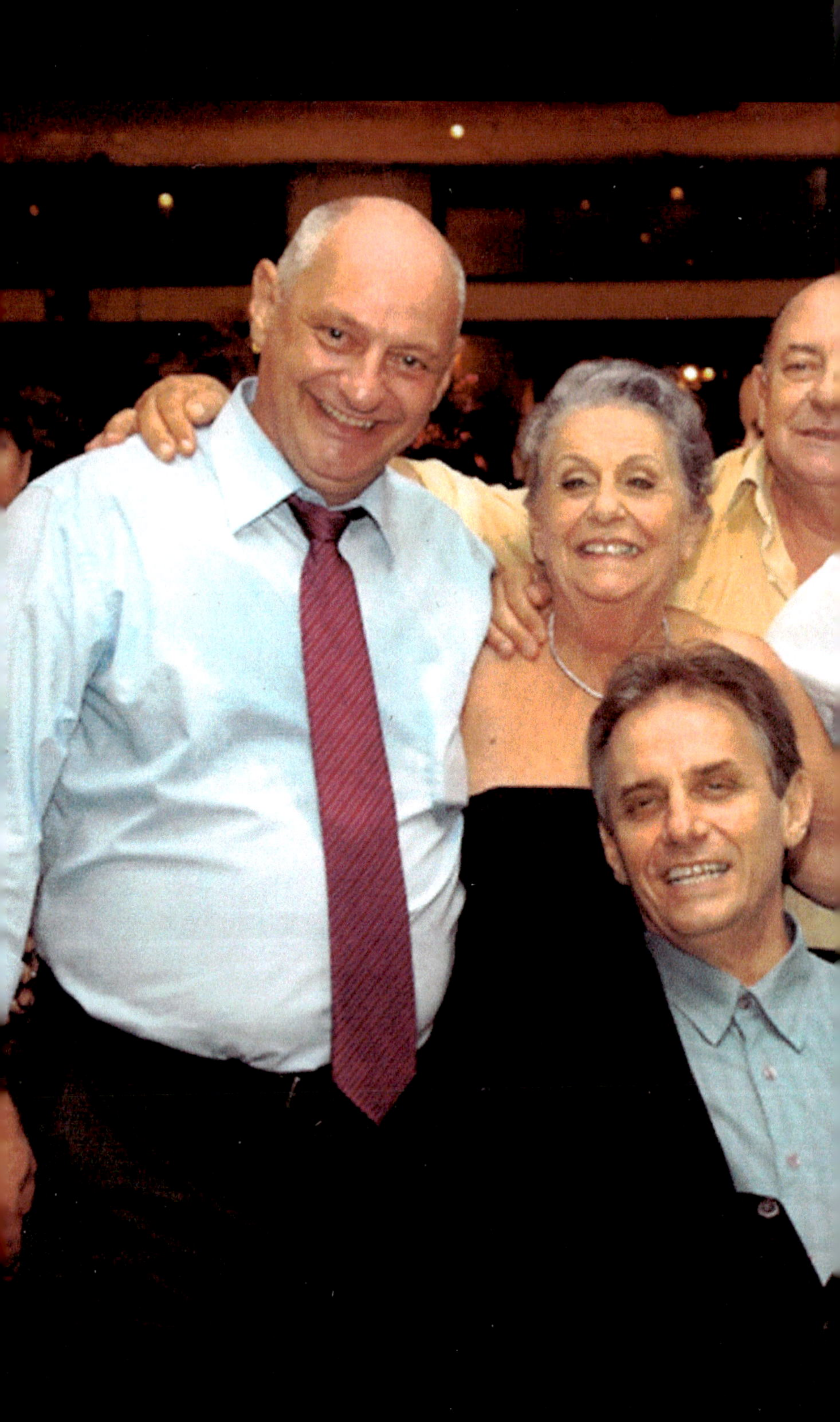

Em 2012, os irmãos se reuniram para comemorar os oitenta anos de dona Mercedes. Da esquerda para a direita: César, Sérgio (sentado), Carlos Roberto, Ricardo, Alexandre e Dalton Filho.

© Zanone Fraissat/Folhapress

Foi no Encontro Internacional do Vinho do Espírito Santo, em 2003, que Boechat conheceu Veruska, na época colunista do jornal *Gazeta de Vitória*. Os dois passaram a trocar mensagens e o namoro começou um mês depois, em uma viagem a trabalho que ela fez ao Rio de Janeiro.

Amor incondicional: Boechat, Doce Veruska e as filhas Valentina (nascida em 2006) e Catarina (em 2008). Na foto do meio, aparece também a spitz alemã Nina.

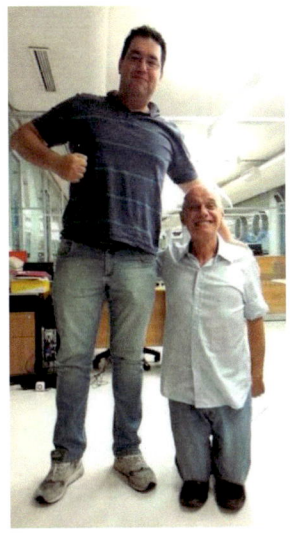

Um abraço em Ricardo Valota, colega da BandNews FM e responsável pelo café que Boechat tomava todas as manhãs. A diferença era de 22 centímetros (1,90 e 1,68 metro), mas Boechat fez Barão se tornar um gigante. Ao lado, a cadeira que virou obra de arte pelas mãos de Alê Jordão.

Dois times que o flamenguista Boechat adotou: Portuguesa e América Mineiro. Ao lado, com Barão: pânico e galhofa na conversa com José Simão.

No alto do Cristo Redentor em 2015: "Eu vivo esse momento lindo"; Boechat divertia a redação com a camiseta do PGN, partido criado por ele, ou com suas brincadeiras; também fazia desenhos e escrevia bilhetes daqueles de "tirar as crianças do carro".

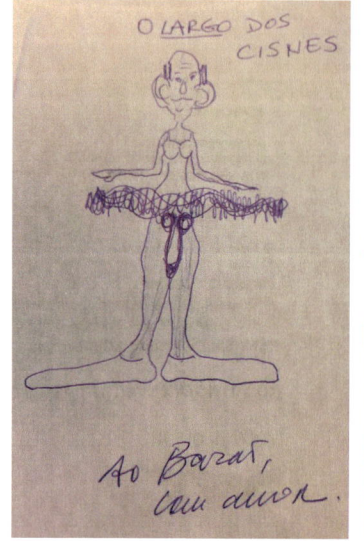

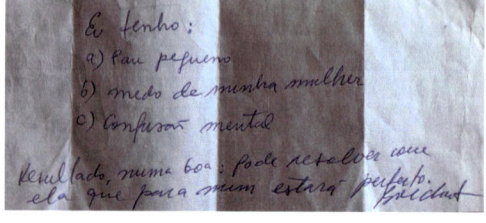

Uma maratona para pegar em casa os ingressos do show dos Rolling Stones, no Morumbi: Boechat foi com Veruska e Barão com Michelle (à esquerda). Acima, com a diretora de jornalismo da BandNews FM, Sheila Magalhães.

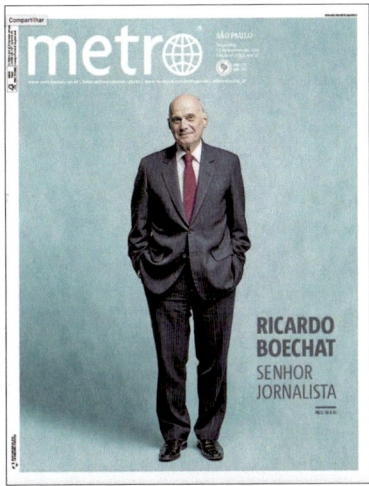

O apego pelo Twingo: Boechat teve dois, um prata e outro meio azul, meio roxo, igual a uma berinjela. Ele dizia que o carro cumpria bem sua tarefa: "levar e trazer". À direita, a linda homenagem do jornal *Metro* ao Senhor Jornalista.

Nos eventos da BandNews FM. Boechat dava atenção a todos os ouvintes. Distribuía abraços e sorrisos.

No estúdio, ao lado da apresentadora Carla Bigatto. Retornando das Olimpíadas do Rio-2016, Boechat faz uma demonstração de carinho para o fotógrafo Barão. Rodolfo Schneider ao lado de dona Mercedes.

Boechat encontrou um cantinho no estacionamento da Band para ler os jornais, tomar café e fumar todas as manhãs.

Era onde fazia reuniões com Letícia Kuratomi e Pablo Fernandez (à direita). Hoje o local ganhou uma placa em sua homenagem (à esquerda).

Boechat é um dos maiores ganhadores da história do Prêmio Comunique-se, considerado o Oscar da imprensa brasileira. Foram 18 troféus ao todo.

No dia da morte, a homenagem dos colegas: todas as redações do Grupo Bandeirantes pararam para aplaudir Boechat no encerramento do *Jornal da Band*.

# ATÉ QUE ENFIM, FÉRIAS!

Boechat tirava férias duas vezes por ano. Com as pequenas Valentina e Catarina na escola, sempre saía em janeiro e julho. Essa rotina era sagrada para ele, mas nem sempre foi assim.

Antes disso, quando começou na carreira profissional, as coisas eram bem diferentes. Boechat trabalhava no *Diário de Notícias* com um dos colunistas mais respeitados do Brasil, Ibrahim Sued. Era o início da vida de jornalista e, por nove anos, ele não tirou férias. Admitia que tinha medo.

Boechat achava que, se tirasse uns dias de descanso, seria demitido pelo Turco logo na volta. Jornalista não tirar férias, por mais absurdo que possa parecer hoje, era uma prática comum no mercado. E alguns, de fato, foram demitidos por tirarem férias em outras épocas, em meio aos 48 anos de jornalismo de Boechat.

Além do medo da demissão, Boechat não tirou outros períodos de férias durante muito tempo pelos motivos mais diversos. Mas recentemente mostrava-se arrependido: "Tem que tirar. É uma questão terapêutica".

Segundo Boechat, além de ser um direito, é preciso dar uma desligada. No último período de férias, antes da tragédia, falou comigo fora do ar: "Barão, eu não aguentava mais".

A expectativa era como ele encontraria o mundo – ou o Brasil – depois de viajar para Alhures e Nenhures, como dizia. Fato é que nada mudava: "Saí, voltei e tudo continua igual". Esse era, no retorno, religiosamente, o assunto de abertura do jornal na BandNews FM, como foi no dia 21 de janeiro de

2019, ao falar do enrosco envolvendo o senador Flávio Bolsonaro e o ex-assessor Fabrício Queiroz.

Dizia, ao voltar, que "os políticos ainda são políticos, os governos ainda são governos e as tragédias ainda são tragédias" e, o mais importante: "a esculhambação ainda é esculhambação".

*(E.B.)*

# PGN, O PARTIDO DA GENITÁLIA NACIONAL

Poucas coisas eram combinadas na coluna diária de José Simão. Normalmente, chegavam às mãos de Boechat alguns tópicos anotados pelo produtor como "piada pronta, *breaking news*, predestinado e placa". Toda a conversa que vinha na sequência era pura mágica e resultado do entrosamento entre os dois.

Ao longo dos anos, quadros foram criados do nada e tiveram sucesso. O que mais pegou, principalmente em período de eleições, foi o PGN. O Partido da Genitália Nacional, que tinha como presidente José Simão, Boechat como vice e os filiados eram toda a galera interessada em participar da zoeira matutina.

Às vésperas da reeleição da presidente Dilma Rousseff, em 2014, Boechat decidiu investir e mandou fazer centenas de camisetas com a inscrição PGN, com logotipo e tudo. Era a peça mais desejada de qualquer guarda-roupa, e os ouvintes queriam ter uma de qualquer jeito.

O PGN representava toda a raiva sentida e escancarava o quanto inconformada a sociedade estava diante dos absurdos da política no país, que, infelizmente, duram até hoje.

No sábado, antes da eleição, Boechat teve uma ideia genial, na visão dele. Tentando angariar mais eleitores, ele mesmo foi até o parque Ibirapuera, na zona Sul de São Paulo, e distribuiu as últimas camisetas do PGN que sobraram.

O gesto não alterou os rumos do país, mas fez muita gente feliz. Eram os novos filiados ao PGN.

#PGNFOREVER

## "BLACK BOSTAS"

Desde que entrou da BandNews FM, Boechat sempre foi ácido, direto, agressivo. Lembro que não se conformava com a passividade do povo brasileiro, apesar de todas as barbaridades praticadas por políticos de partidos diversos.

"Tem que jogar tomate no carro oficial do deputado. Tem que ir na porta do salão de beleza da primeira-dama e protestar para causar constrangimento. Tem que parar de assistir a tudo com nariz de palhaço. Tem que sair de trás dos computadores e ir às ruas."

Tudo isso Boechat falou por anos na rádio desde meados de 2006. Uma entrevista dada ao site Pato com Laranja, em junho de 2012, ganhou repercussão inesperada e também rendeu uma acusação leviana contra ele. Boechat disse: "Essa realidade só vai mudar se a população tirar a bunda da cadeira, se a população for para a rua, se a população botar a boca no trombone, se a população denunciar, se a população atacar, partir para o contra-ataque".

Muitos analistas políticos disseram que as palavras do Boechat eram o prenúncio das manifestações que vieram em 2013. Mas outros o acusaram de ter sido um incentivador de um movimento mais agressivo, o dos *black blocs*:

"Eu sou favorável a arranhar carro de autoridade, eu sou favorável a jogar ovo, sou favorável à revolta, a quebra-quebra e o caralho. Ah, mas isso é vandalismo! Vandalismo é o cacete! Vandalismo é botar as pessoas quatro horas nas filas das barcas todos os dias. Vandalismo é mandar segurança baixar a porrada em passageiro da Central do Brasil, que não aguenta mais ser tratado como gado. Isso é que é vandalismo! Vandalismo é roubar como um condenado o dinheiro público. Vandalismo é matar meu filho dentro do hospital público por falta de médico e remédio. Isso é vandalismo."

E continuou:

"Acho que tem de perturbar a família deles. Quando entrar em restaurante, tem que vaiar e por aí vai. Na Argentina, quando um torturador, já velhinho, ia para o teatro, na porta se reunia uma galera e começava a gritar: 'Esse é fulano de tal, matou beltrano, torturou sicrano, arrancou unha com alicate'. Então ficava esse constrangimento, e isso ajuda porque se cria uma consciência crítica nos mais novos."

As declarações, que eram frequentes na rádio, levaram inconsequentes a dizer que Boechat foi incentivador de ações violentas de grupos de *black blocs*, os arruaceiros mascarados que aproveitavam a multidão para quebrar patrimônio público e saquear lojas em meio às manifestações.

Boechat estava incomodado com a acusação e chamava os mascarados de "*black* bostas". Ele esclareceu a situação em uma entrevista dada a mim no canal Barões do Rádio, no YouTube:

"Eles aproveitaram uma entrevista que eu tinha dado antes e recuperaram no meio das manifestações, sugerindo que eu estava endossando aquilo, e não é verdade. O *black bloc* é uma deformação priápica, acho que tem a ver com juventude. É aquela testosterona da garotada que transforma qualquer coisa que você não aceite no campo da sua avaliação pessoal num inimigo a ser abatido, a ser destruído. O que eu nunca preguei. Eu estava fazendo uma conclamação a uma reação mais hostil mesmo, física mesmo, mas contra o Estado e seus agentes. E não contra a banca de jornal, não ao orelhão, não à vitrine da loja de dona Juventina. Teve ato de *black bloc* que quebrava vitrine para roubar lingerie. Que ação política é essa?"

Boechat não gostava da comparação porque sabia diferenciar o vandalismo da crítica política.

*(E.B.)*

## A VOLTA ÀS URNAS

Boechat admitia no ar que não votava desde a eleição de 1989, quando Fernando Collor de Mello se tornou o primeiro presidente do Brasil eleito por meio do voto direto desde a ditadura militar (1964-85). Dizia que tinha se desiludido com a política e que não encontrava motivos para acreditar em partidos e, principalmente, nos políticos.

Apesar de sempre ser acusado de privilegiar em seus comentários um lado ou outro, Boechat se mostrava, diariamente, indignado, apesar de ter reconhecido que, num passado bem distante, frequentou reuniões do Partido Comunista e ainda que, por alguns meses, foi secretário de Comunicação do então governador do Rio de Janeiro, Moreira Franco, período do qual se arrependeu profundamente.

Para minha surpresa e da Carla Bigatto – e imagino que de muitos ouvintes –, no meio de 2018 Boechat falou ao microfone que iria regularizar o título de eleitor. Estava, enfim, disposto a voltar a eleger alguém nas eleições de outubro de 2018:

"Você está falando sério?", perguntei no ar.

"Estou sim, acho que essa politização que estamos vendo agora me deu vontade de voltar a tentar escolher alguém para melhorar o país."

Apesar da minha perplexidade, achei sensacional! A falta de esperança em algum político, por motivos óbvios, dava lugar a um Boechat que acreditava que não mais havia espaço para erros nas urnas.

"É hora de escolher um bom parlamento, com pessoas que pensem e ajam de forma diferente."

"Caramba", pensei.

"Mas em quem você vai votar, Boechat?"

"Não sei, vou ver. Só vou votar para as Câmaras Legislativas. Não quero escolher nem governador, nem presidente. Ninguém me representa. E você, Baronete?"

"Também vou anular para governador e presidente, Boechat. Mas tenho meus candidatos a deputado e senador."

Depois, expliquei por que votaria neles. E assim se passaram os dias até a data do primeiro turno. No dia 7 de outubro, recebo uma mensagem da Veruska: "Barão, Boechat quer saber os números dos caras em quem você vai votar. Manda no WhatsApp".

O cara fica quinhentos anos sem votar e agora vai escolher os mesmos que eu. Que louco! Mandei os números e toquei a vida. Alguns minutos depois, Veruska me chama de novo: "Barão, acho que um dos números que você mandou estava errado. Boechat teve de descobrir na urna".

Pior é que estava mesmo. Faltava um número, e esse candidato, mesmo com o nosso apoio, acabou não sendo eleito.

*(E.B.)*

# PAIXÃO PELO FUTEBOL E PELO FLAMENGO

Flamenguista desde os tempos de criança, Ricardo Boechat tomou uma decisão, depois de adulto, nos microfones da BandNews FM, e adotou outros clubes para chamar de seus em São Paulo, Rio Grande do Sul e Minas Gerais.

Nascia ali, no dia a dia da rádio, o amor pela Portuguesa, o Brasil de Pelotas e o América Mineiro, de quem se tornou sócio em uma das transmissões da BandNews FM no Mercado Central, em Belo Horizonte, em setembro de 2015. O espaço chegou a abrigar o primeiro estádio do Coelho.

No evento, Boechat ganhou um cartão VIP de sócio-torcedor, três camisas da equipe e outros suvenires. Saiu todo alegre por se aproximar de uma das novas paixões no futebol. Os dois anos seguintes, com os títulos do Campeonato Mineiro e da Série B do Brasileirão, foram especiais, mas nem tudo eram flores. Em 2018 o América voltou para a Série B.

A situação da Portuguesa – que também chegou a presentear Boechat com uma camisa e um par de chinelos – era a mais difícil. Mas Boechat não desistia e, a cada vitória – rara à época –, comemorava e sonhava com uma reviravolta do clube. Morreu sem ver um novo título da Lusa desde 2013, quando conquistou a Série A2 do Paulistão. O Brasil de Pelotas era um amor mais contido, mas não menos apaixonado.

Dias após a tragédia que vitimou Boechat, o América Mineiro fez uma homenagem antes da partida contra o Cruzeiro pelo Campeonato Mineiro. Os jogadores entraram em campo com uma camisa – a de número 10 – com o nome do Boechat e uma mensagem no Twitter: "Valeu, Boechat! Você sempre estará em nossa memória!".

A partida terminou empatada: 0 X 0. Boechat, se estivesse aqui, iria querer mais.

# "PERDEU, PLAYBOY" – O MEME

Boechat era o inusitado, o improvável, um quebrador de regras e de protocolos. O fez por diversas vezes no rádio, nas redes sociais e na TV, quando, por exemplo, fingiu estar ligando para a mãe, dona Mercedes, ao vivo, no *Jornal da Band*, para ironizar políticos acusados de receber propina: "Alô, mãe. Foi você que recebeu o dinheiro das empreiteiras? Não? Os deputados da Comissão Parlamentar de Inquérito (CPI) também estão dizendo que não [...]. Mas não tem nenhum dinheirinho para nós, então?".

Ou quando se divertiu com um carimbo de "foda-se" que ganhou de um ouvinte e publicou um vídeo no Facebook: "Esse presente não tem uma única utilização, mas mil e uma utilidades. Você pode usar em várias situações. Querem ver qual é o presente?". Boechat carimbou uma folha em branco e chorou de rir.

Teve ainda o dia que usou uma peruca na TV após uma reportagem sobre calvície e encerrou o *Jornal da Band*, com a companheira Lana Canepa quase não se aguentando de rir: "E o *Jornal da Band* termina aqui!".

Ah, não se pode esquecer o dia em que foi se vacinar contra a gripe e, ao tirar a camisa, apareceu de sutiã. "Estou dando esse recado só para os velhos, como eu. Vacine-se contra a gripe e faça como vou fazer agora". Olhando para a enfermeira, ele mandou um "Vai, meu bem!".

Uma das mais memoráveis, no entanto, se deu em um debate entre os candidatos à presidência em 2018. Ciro Gomes do Partido Democrático Trabalhista (PDT) se queixou de não ter usado todo o tempo previsto para responder a uma pergunta do folclórico cabo Daciolo, do Patriota.

Boechat foi direto: "Perdeu, perdeu, *playboy*".

Sem querer, virou meme nas redes sociais.

# É MUITA LOUCURA SEM DROGAS

"Esses caras só podem estar tomando ácido ou fumando um baseado."

A constatação era feita por Boechat toda vez que alguma decisão inexplicável saía do Congresso, do Palácio do Planalto e até do Supremo Tribunal Federal. Foi o que fez em abril de 2015, quando todos os jornais anunciavam que Dilma Rousseff – ainda sem saber que levaria uma rasteira – havia escolhido seu vice, Michel Temer, para fazer a articulação política.

"Eu pergunto a você que está aí envolvido com suas contas. Você que está envolvido com a qualidade da escola de seus filhos. Com a ausência de médicos no hospital. Com a falta de remédio nas farmácias populares [...]. Você que está sem emprego. Você que está endividado. Eu queria te perguntar: quem está preocupado com a articulação política do governo no Brasil real? E nos envolvem nessa loucura. Eu tô desconfiado que eles não estão fumando um baseado. Estão tomando LSD. Tá todo mundo doidão na capital federal."

Boechat falava com conhecimento de causa. No ar, ao vivo, numa ocasião, contou uma experiência própria:

"Uma vez eu tomei LSD na praia de Itaipuaçu (RJ). Fui jogar frescobol, eu e outro maluco que tinha feito a mesma coisa. Era um dia de semana, tava de férias, sei lá o que eu tava fazendo. A gente foi jogar frescobol, a maré foi enchendo e a perna da gente foi enterrando na areia. Acho que foi a única partida de frescobol jogada com areia na cintura."

O resto da história, onde dormiu e acordou, ninguém sabe!

# CHEFIA, PREPARA O BOLSO!

Virava e mexia, Boechat tinha algum compromisso fora de São Paulo. Eram eventos, festas da rádio, palestras ou audiências na Justiça. Ele se tornou o jornalista mais premiado pelo Comunique-se, o chamado Oscar do jornalismo. Recebeu 18 troféus e foi coroado mestre em três categorias: Âncora de Rádio, Colunista de Notícia e Âncora de TV.

Nas cerimônias, Boechat tinha o costume de conversar – e muito –, debater assuntos do cotidiano, dar entrevistas e tirar fotos com amigos, admiradores, colegas de trabalho e fãs. Ele não perdia uma história nem a oportunidade de contar alguma a quem interessasse. E, como se sabe, valorizava muito esse contato pessoal.

Em uma das premiações, Boechat sabia que precisava sair cedo porque, no outro dia, deveria estar em Curitiba, de onde apresentaria o noticiário da rádio às 7:30 horas. Ele tinha um voo agendado naquela noite e a diretora de jornalismo da rádio Sheila Magalhães, que estava no evento, percebeu que não daria mais tempo. E mais: não haveria outro voo depois daquele. Enquanto isso, Boechat seguia falando com todo mundo – e como falava... E não faltou alerta: "Ah, deixa comigo!".

Além do noticiário, ele tinha uma audiência na Justiça – das várias às quais compareceu – no único caso que perdeu, para o senador Roberto Requião (MDB), ao chamá-lo de corrupto e de outras coisas mais para defender um repórter da Band à época que acusou o ex-governador de dar um soco nele e de arrancar o seu gravador.

Depois da festa, ninguém sabia para onde tinha ido o senhor Ricardo Eugênio Boechat. Pela manhã, Sheila ligou para o então chefe de redação, Bruno Venditti, e perguntou se ele tinha alguma notícia de Boechat. A resposta foi não.

Quando o relógio marcou 7:30 horas, o microfone se abriu e ele mandou ver:

"Bom dia, bom dia, eu sou Ricardo Boechat, esta é a BandNews FM e nós vamos ficar juntos até às nove e tanto da matina [...]. E chefia, prepara o bolso, porque eu vim de táxi para Curitiba."

Mais uma vez, o inesperado. E ele mesmo contou que foi dormindo de São Paulo até lá. E, na volta, ainda levou a conta. Perto das 17:00 horas, depois de passar parte do dia em Curitiba, o próprio Boechat foi até Jaqueline Moss, nossa secretária de redação, e apresentou a notinha: o táxi custou 927 reais, sem incluir a passagem perdida.

Sheila, claro, ficou muito brava. O gasto acabou com a caixinha do mês.

"E aí, Boechat?"

"Fui de táxi, minha preta."

"Você está de sacanagem, velho?"

"Porra, Boechat, o quê? Não era para estar às sete e meia da manhã em Curitiba? Eu estava..."

A Band pagou tudo.

# LIXO SOBRE RODAS

Dizem as más-línguas que os Twingos do Boechat – ele teve dois – eram verdadeiros lixões. Na verdade, eram mesmo. Não seria estranho encontrar no porta-malas gnomos, duendes e outros bichos estranhos. Papel era o que não faltava.

Foi por isso que Luiz Megale, apresentador do *Café com Jornal* e ex-âncora da BandNews FM, e o repórter Arthur Covre, decidiram fazer uma sacanagem com Boechat, depois de perceber que a porta do carro ficava aberta no estacionamento do pátio da Band. A ideia era ótima: juntar o máximo de jornais velhos e enfiá-los todos no Twingo nº 1 do Boechat. Feito o plano, executaram.

Em uma sexta-feira, os dois saíram pegando jornais velhos de todas as redações na Band. Nas TVs, nas rádios, na diretoria, no próprio lixo e espremeram – atolaram – tudo dentro do Twinguinho. Encheram de verdade.

Passa um dia, o fim de semana, mais um dia, outro e nada de Boechat reclamar da sujeira. Os dois estranharam e acharam que, provavelmente, ele estaria preparando um contra-ataque.

Depois de quase uma semana, Megale não aguentou e perguntou a Boechat:

"Enchi teu carro de jornal e você nem percebeu que estava cheio de lixo."

E ele:

"Puta, é verdade. Eu vi que o Twingo estava um pouco mais bagunçado."

Pelo visto, nem os gnomos reclamaram.

# FOTO ESPECIAL

Boechat tinha um lema: tratar os ouvintes com o mesmo carinho com que eles tratavam a rádio. Ele não fazia distinção e dava atenção para todo mundo. Todo mundo, mesmo!

Em maio de 2017, a BandNews FM completou 12 anos e fez uma festança no parque Villa-Lobos, na zona Oeste de São Paulo. Estávamos todos lá.

Sempre que Boechat chegava era aquele furdunço. Todo mundo queria conversar e tirar foto com ele. Como diz a nossa diretora Sheila Magalhães, um fenômeno: "Boechat nunca quis que colocasse segurança nos eventos". Antes, até tinha algum tipo de barreira, mas ele mandou tirar. Era uma coisa que não queria.

No dia do evento, entre os ouvintes, um deles se destacou. Sheila estava ao lado do Boechat quando um senhorzinho, bem idoso, se aproximou dele e falou:

"Ah, Boechat, meu sonho é tirar uma foto com você. Mas eu não tenho máquina fotográfica, eu não tenho celular, eu não tenho essas coisas de e-mail."

"Não seja por isso", disse ele. "Sheila Magalhães, está com o seu celular aí?"

"Sim, estou."

"Então tira uma foto minha com ele aqui."

Sheila obedeceu. E Boechat chamou o ouvinte:

"Escreve aqui no papel o endereço da sua casa porque a gente vai mandar a foto pelos Correios para você."

Mais uma vez Sheila concordou e ouviu:

"Olha, Magalhães, estou entregando na sua mão. Não vai perder isso. Vamos mandar a foto para a casa dele."

Dito e feito. Quando chegou a segunda-feira, Sheila mandou revelar a foto – uma coisa cada vez mais incomum – e enviou, assim como foi pedido, pelos Correios.

Esse era o tipo de preocupação do Boechat. A foto, provavelmente, está guardada em um bom lugar.

## NETO, ME SALVA!

Você sabia que o craque Neto, apresentador da Band e ídolo do Corinthians, já salvou Ricardo Boechat?

A história remete ao ano de 2010, durante a Copa do Mundo na África do Sul. A equipe da Band, inicialmente, estava hospedada em Johannesburgo, a maior cidade do país, e lá os carros circulam na chamada "mão-inglesa" ou, se preferir, na nossa contramão. O volante é do lado oposto e, em vez de olhar para o lado esquerdo para atravessar a rua, se olha para o lado direito.

Em determinado dia, Boechat estava saindo do hotel para ir almoçar e olhou para o lado errado, claro. Quando pôs o primeiro pé na rua, Neto agiu e puxou Boechat pela camisa. Uma van passou por eles em alta velocidade, o que, para Boechat, não era uma novidade: "Todas as vans do mundo andam a mil quilômetros por hora".

Mas depois admitiu: "Ela ia me triturar".

# O APÊ DO BOECHAT

Por ser uma rádio nacional, a BandNews FM sempre teve profissionais de qualidade espalhados pelo país. Como a cabeça de rede, como chamamos a sede, fica em São Paulo, jornalistas que se destacam nas redações de outras cidades recebem convites para integrar a nossa equipe na capital paulista.

O primeiro que fez esse movimento foi Guilherme Calil, que atualmente está na GloboNews e por anos cumpriu as mais variadas funções no Rio de Janeiro, inclusive a de ser produtor do programa do Boechat por lá.

Logo que veio para São Paulo, em novembro de 2007, Calil se adaptou rapidamente. Por sua competência e carisma, ele passou de produtor da rádio ao cargo de âncora, apresentando os jornais da BandNews FM.

Em junho de 2009, ele chamou toda a galera da redação para ir ao seu casamento com Marcelle Ribeiro, que também é jornalista, no Rio de Janeiro.

À época, eu era chefe de redação e Luiz Megale apresentava o jornal com Boechat pela manhã. Quando falamos que íamos ao Rio para o casamento do Calil, Boechat ofereceu o apartamento dele no Leblon, o que aceitamos com alegria – muita alegria. A outra parte da redação se arrumou em albergues e hotéis da cidade.

Pegamos um avião numa sexta, o casamento era no sábado e a volta no domingo. Megale foi com a esposa, Aninha, e eu fui com a minha Michelle e o meu filho mais velho, Rafa, que tinha menos de um ano de idade.

Nos instalamos no apê do Boechat e partimos em busca

de um boteco. Para a nossa alegria, exatamente ao lado do prédio descobrimos as delícias do bar Belmonte, onde bebericamos até altas horas.

Na volta, já no apartamento de novo, Megale descobriu a senha de acesso aos canais eróticos na TV por assinatura do quarto do Careca.

"Não é difícil. Botei '1234' e já apareceu tudo."

No sábado, dia do casório, fizemos o tradicional passeio de turistas no Rio. Fomos ao Corcovado, ao Cristo Redentor e, na teoria, já era hora de voltar para almoçar no boteco ao lado do apartamento e então nos arrumarmos para a cerimônia.

Megale e eu nos sentamos para almoçar – e beber – lá pela uma da tarde e só saímos de lá por volta das oito da noite. A cerimônia de casamento estava marcada para as 17:00 horas, na Igreja São José, no centro da cidade. Ou seja, fomos ao Rio exatamente por causa do casamento do nosso amigo e não aparecemos, nem para dar um alô para nossas esposas.

Nós nos arrumamos rapidamente para pelo menos ir à festa do casamento em um espaço no Alto da Boa Vista, na zona Norte. O problema – mais um – é que vários taxistas se recusaram a fazer o trajeto, dizendo que o lugar era escuro e ermo, o que não é agradável de ouvir, ainda mais com um bebê a tiracolo.

Quando finalmente um corajoso taxista aceitou a corrida, lá fomos nós com certo receio ao espaço reservado para a festa. Já estávamos alcoolizados. No trajeto conversamos animadamente sem falar quem éramos, tampouco que trabalhávamos na BandNews FM, que nessa época tinha apenas quatro anos no ar.

Na hora de desembarcar no local da festa, pagamos a conta e o taxista falou: "Vou falar pro Boechat que você e o Megale estavam bêbados aqui no Rio". E deu risada.

O taxista havia nos reconhecido apenas pelas nossas vozes. Na hora, mesmo alcoolizados, sacamos o quanto a rádio e Boechat já eram populares na Cidade Maravilhosa.

*(E.B.)*

# PETROBRAS: COMO SE FALA MESMO?

Paloma Tocci, que começou a carreira e se destacou no jornalismo esportivo, apresentou o *Jornal da Band* entre maio de 2015 e fevereiro de 2019 ao lado do Boechat. Nova na bancada, no início tinha seus medos e a vontade de fazer tudo aquilo dar certo. Não queria errar de jeito nenhum, até porque estava ao lado de um jornalista muito respeitado.

Nos primeiros dias, leu a chamada para uma reportagem sem nenhum tipo de receio. Era sobre a Petrobras. Sem se preocupar, leu – como muitos fazem – *Pétrobras*, com o acento agudo no *e*. Boechat olhou para ela e disse:

"Por que *Pétrobras*?"

Paloma gelou e titubeou ao responder:

"Porque vem do petróleo."

"Então, Paloma, se vem do petróleo é Petrobras e não *Pétrobras*."

Recém-chegada, a apresentadora ficou mal e ao longo de vários dias se questionou se havia feito algo tão errado. Ouvindo a BandNews FM, percebeu que muita gente falava como ela e, por isso, se perguntou: "Poxa, por que ele implicou comigo?".

Chegou a perder o sono pela *Pétrobras* e, sempre que aparecia algo no *Jornal da Band*, passou a ler Petrobras. Pensava: "Agora está certo".

Um dia, enquanto os dois conversavam na bancada durante o intervalo, ela falou para Boechat:

"Você já chamou a minha atenção."

"Eu te chamei a atenção? Você nunca fez nada, imagina."

"Não, eu nunca vou esquecer. No meu começo no jornal, você me chamou a atenção por ter falado *Pétrobras* e não Petrobras."

A reação foi inesperada. Boechat caiu na gargalhada, e só disse:

"Bem-feito!"

# LAVA JATO: A ESPERANÇA

Com tantas mazelas no cenário político, a Lava Jato, na cabeça do Boechat, era o início de algo que poderia, de vez, mudar a história do Brasil. Não raro, ele lembrava no ar de outras operações, como a Satiagraha e a Castelo de Areia (embriões da Lava Jato), que não deram em nada por obra da lentidão da Justiça e das artimanhas utilizadas por advogados para atrasar ou anular as investigações. Foi o que aconteceu.

Eu, assim como Ronaldo Herdy, escrevia a coluna da *IstoÉ* com ele e quase toda semana tinha alguma nota exclusiva da operação conduzida pelo Ministério Público Federal do Paraná. O trabalho era difícil, garanto. E, claro, ele gostava. Mas tinha um lado que incomodava Boechat: a exposição midiática de fatos que poderiam apenas ter sido revelados sem coletivas ou PowerPoint.

Em 2014, quando foi deflagrada a primeira fase da operação, eu já era o editor do horário dele na BandNews FM, trabalhando ao lado do Barão, da Tatiana Vasconcellos e do chefe de redação Bruno Venditti e, por gostar demais do assunto, me aprofundava cada dia mais. O objetivo era trazer o máximo possível de informações ou algum material exclusivo. Boechat gostava dos números. "Quantos presos? Qual o valor devolvido? Quantos são investigados?" E ainda outros dados que dariam munição às aberturas feitas por ele no jornal da BandNews FM.

Em maio de 2018, a rádio concordou em me enviar para Curitiba. O objetivo era eu me encontrar com os principais personagens da Lava Jato, como o próprio juiz Sérgio Moro, o procurador da República, Deltan Dallagnol, e advogados dos investigados e delatores. A viagem foi perfeita.

Na época, o agora ministro Sérgio Moro andava muito ocupado, mas aceitou me receber por alguns minutos. Conversamos sobre diversos assuntos e, ao falarmos do Boechat, que era um fã da Lava Jato, ele lembrou: "Eu gosto muito do Boechat, é um ótimo jornalista, um defensor da Lava Jato, mas outro dia fez várias críticas sobre uma entrevista que eu dei. Eu não me esqueço".

Lembrei que, para Ricardo Boechat, independentemente de quem fosse, juiz não deveria dar palestras ou entrevistas. Tanto é que ele nunca o entrevistou, apesar da admiração que tinha pelo trabalho desenvolvido por Sérgio Moro.

Logo após a escolha do então juiz para a equipe de Jair Bolsonaro, Boechat disse esperar que a Lava Jato avançasse mais ainda no combate à corrupção e, veja só, elogiou a entrevista coletiva dada por Moro aos jornalistas. O ministro falou por mais de duas horas.

Mas, agora, ele podia, na visão do Boechat.

*(P.F.)*

# A PASTA MARROM

Todo santo dia, Boechat entrava carregado de jornais e de outros badulaques no estúdio da BandNews FM. Depois, seguia um protocolo quase litúrgico: café, cigarro e leitura dos jornais da manhã, sentado no lugar que hoje se tornou praticamente um santuário. Além dos jornais, durante anos Boechat levava para todo lado uma pasta de couro marrom onde carregava:

• uma agenda com folhas rasgadas, que tinha telefones antigos – e põe antigos nisso;

• óculos e mais óculos de cores e modelos diferentes que comprava de penca, sem receita, em alguma farmácia ou banca de jornal;

• dose diária de medicamentos, que ia desde remédios de pressão, do estômago, da depressão – que normalmente ele se esquecia de tomar, o que os ouvintes rapidamente identificavam por causa de seus rompantes matutinos;

• papéis dos mais diversos, que ele mesmo não lembrava por que estavam todos socados naquela pastinha;

• um relógio quebrado que era da avó dele, marcando a mesma hora, o que deixava os ouvintes intrigados e, num afã de ajudar, mandavam mensagens para ele arrumar o horário.

Em meio a esse cenário caótico diário, Boechat costumava carregar também para o estúdio um iogurte integral que misturava com uns pedacinhos de granola, que levava envoltos num guardanapo.

Um dia, no meio do caos formado pela zona de papéis, contas, jornais e óculos, ao gesticular durante um comentário,

Boechat esbarrou no iogurte que caiu em cima dele, da cadeira e dos aparelhos de transmissão da rádio.

A cara dele era exatamente a de uma criança que derruba a papinha do almoço, para seu próprio desespero e do pessoal da limpeza que teve de socorrê-lo. Mas fez a alegria da galera da redação, que adorava ver o circo pegar fogo.

Um detalhe que o entristeceu, mais do que a lembrança do iogurte, foi que antes de morrer Boechat perdeu o relógio da avó, que mesmo marcando a mesma hora, ele usava com orgulho. Toda detonada, a pasta marrom foi dada ao amigo e diretor de jornalismo da Band, Fernando Mitre, que a guarda com grande carinho.

# O SUBMUNDO DOS ÓCULOS PERDIDOS

Usar óculos para Boechat era uma aventura diária e, primeiro, era preciso encontrar um par deles. Ele não tinha apenas um par de óculos. Tinha uma coleção que se perdia ao longo do tempo e era a justificativa para aqueles comprados na farmácia ou na banca de jornal.

A BandNews FM tinha duas gavetas grandes reservadas para o material do Boechat, e quem cuidava de toda aquela bagunça era a produtora Letícia Kuratomi. Entre os itens, os óculos eram os mais procurados.

Havia óculos de todas as cores possíveis, do preto ao rosa, ou até mesmo óculos sem as hastes que os prendiam às orelhas. Ele não estava nem aí. Boechat não enxergava de perto e isso o impedia, por exemplo, de ler os jornais ou alguma reportagem na internet.

Em dezembro de 2018, ele viajou para Vitória (ES) e passou dois dias sem ver porcaria nenhuma porque perdeu o único par que tinha levado. Por lá, os óculos de grau prontos não são vendidos em óticas, farmácias e bancas de jornal, como em São Paulo.

Ele tinha certeza que aquele modelo roxo, de aros grossos – mais um de vários –, tinha ido para o mesmo limbo dos demais: o submundo dos óculos perdidos.

À época, como ele mesmo disse, encontrou o "desgraçado" em um lugar inimaginável. Estava dentro, não se sabe como, de um sapato que ele ainda não havia usado.

Arriscaria dizer, por cima, que ao longo dos quase 14 anos na BandNews FM, Boechat perdeu uns cem "desgraçados".

## UMA NOVA AGENDA

Até 2015, Boechat, por mais incrível que pareça, não tinha uma simples agenda. Ele fazia eventos em várias partes do país, às vezes um dia em cada estado, mas não tinha nada organizado em um único lugar. Tudo que ele precisava estava dentro da velha pasta marrom, que dizia gostar por ter sido um presente da Veruska.

Eram papéis de todo o tipo: folhas inteiras, cortadas ao meio ou em pedaços menores ainda. Os compromissos estavam ali, naquela bagunça mesmo. Inclusive, ele guardava as laudas do *Jornal da Band* para usar de rascunho e as acomodava em pilhas na própria mesa.

Quem o salvou foi Nana Matos, que, assim como Letícia Kuratomi na BandNews FM, era estagiária dele na TV e decidiu colocar um ponto-final naquela desorganização. Ela passou a fazer uma lista dos compromissos que ele tinha, imprimir e sempre entregar uma nova, atualizada, para Boechat. Ele amava, claro! Alguém o tirou da bagunça de papéis jogados.

Em 2018, Nana saiu de férias e entregou a última versão para ele. Na volta, Boechat estava desesperado, com a folha amassada, cheia de rabiscos, mas tudo continuava lá. Pelo menos, ele finalmente havia criado o hábito de consultar a agenda antes de marcar um novo compromisso.

# MOEDINHAS: QUEM ME AJUDA?

Assim como na BandNews FM, antes de ir ao estúdio apresentar o *Jornal da Band*, Boechat tinha o costume de tomar alguma coisa e de fumar um cigarrinho. Eram três por dia. De manhã, a companhia era o café. À tarde, o chazinho de limão. O mundo poderia cair, mas lá estava ele na escada da redação, esperando a hora de se sentar na bancada. Ele dizia que o ritual o acalmava, e que ritual!

Tudo começava na própria redação e o objetivo era arrecadar 1,25 real para poder comprar o chá na máquina de bebidas. Com algumas moedas na mão, saía fazendo barulho e perguntando um a um "Tem uma moedinha aí?", até conseguir levantar o valor mágico de 1,25 real. Se não tinha cigarro, ia à mesa de todos os fumantes perguntar quem podia colaborar com um Marlboro.

Depois de conseguir o dinheiro e o cigarro, se dirigia à "não muito amiga" máquina de bebidas, que frequentemente xingava por dar algum problema. Às vezes não saía o chá, vinha só o copo com água ou o chá caía primeiro que o copo. Era uma relação conflituosa, mas o chazinho fazia parte do ritual.

Esse era o horário escolhido para passar a agenda a limpo com Nana Matos, que ficava espantando a fumaça com as mãos enquanto ele dizia para parar de abanar, em tom de piada. Ela retrucava que iria processá-lo por inalar tanta nicotina.

O combinado era Boechat estar às 19:16 horas no estúdio, uma vez que o *Jornal da Band* começava – e ainda começa – às 19:20 horas. Ele ainda precisava colocar o microfone e, por esse motivo, Vladimir Pinheiro, coordenador do jornal, vivia correndo atrás dele. Boechat reclamava e dizia que ainda dava tempo.

Com o paletó em um braço e desenrolando a manga da camisa, saía conversando com todo mundo, fazia piada e pedia para alguém fechar o seu e-mail, tarefa atribuída normalmente à Nana. Isso quando não voltava por ter esquecido alguma coisa.

Era um ritual. Para ele e para todos da equipe.

# MOTOTÁXI: O RISCO CALCULADO

O perigo rondava a vida do Boechat e, de fato, medo era uma coisa que ele não tinha. Cheio de compromissos dentro e fora de São Paulo, quase que rotineiramente precisava ir e voltar do Aeroporto de Congonhas, na zona Sul. Com o trânsito caótico, ele chamava um motoboy que o levava na garupa para que não perdesse o voo.

Uma das regras do Boechat era estar na Band às 16:00 horas, a tempo de participar do fechamento e apresentar o *Jornal da Band*. Às vezes, ele passava em casa ou em outro lugar e atrasava um pouco, mas não muito.

Certa vez, ele foi almoçar com um amigo em um restaurante, algo incomum, mas, como o papo estava bom, se atrasou e se viu preso às 17:30 horas no congestionamento da cidade. Ao perceber que não chegaria a tempo, ligou para sua produtora na TV, Nana Matos, e decretou: "Nana, estou preso no trânsito. Pede para um motoboy vir me buscar rapidinho, por favor. Enquanto ele não chegar, eu vou andando pela avenida. Pede para ele me encontrar".

E desligou o telefone. Sabia-se apenas que ele havia deixado o carro em algum lugar e que seria encontrado na marginal do rio Pinheiros, via movimentada de São Paulo, perto da ponte Cidade Jardim.

A equipe se mobilizou: um pegou o capacete no camarim; outro acionou o motoboy; um terceiro pediu para a figurinista separar a roupa dele e ficar na porta do estúdio; e o último avisou o maquiador para fazer tudo rapidinho. Foi a maior loucura! Até mesmo o chefe de reportagem, Sérgio Gabriel, trocou de roupa e ficou de *stand-by*, caso precisasse substituir o Careca na bancada do jornal naquele dia.

Depois de tanta correria, Boechat chegou gargalhando e disse: "Fazia tempo que eu não aprontava uma dessas, né?".

Pontualmente às 19:20 horas, lá estava ele sentado na bancada e apresentando o *Jornal da Band*, como se nada tivesse acontecido.

# ALGUÉM VIU A MINHA ALIANÇA?

Sabe aquele dito popular "Só não perde a cabeça porque está grudada"? Pois bem, cairia como uma luva na história de vida do Boechat. Ele já perdeu de tudo, até mesmo a filha em uma praia (assunto para outro capítulo).

Doce Veruska, como ele mesmo chamava a sua amada, sempre o acompanhava na BandNews FM pela manhã e no *Jornal da Band* à noite. Claro, estava atenta a tudo e pronta para colocá-lo contra a parede. O apelido, por sinal, foi criado no ar e, fora dele, Boechat só a chamava de Doce quando ela estava brava. Sabia o risco que corria.

Em um dos tantos dias que apresentou o jornal na TV, Boechat se viu sem saída. Havia perdido a aliança de casamento e não queria entrar no ar sem ela. Veruska ia ficar "p" da vida. Mas o que fazer?

A solução encontrada pelo próprio Boechat foi arrumar uma aliança emprestada. Quem o salvou foi um produtor do *Jornal da Band*, Renan Salmin, que tinha duas vezes o tamanho dele. A aliança ficou larga, mas, mesmo assim, ele decidiu usar. Do outro lado, o produtor tremia de medo. Medo de que Boechat, como de costume, perdesse a aliança que havia sido emprestada. Ele também não podia chegar em casa sem ela.

Boechat apresentou o jornal e, para alívio do produtor, devolveu a aliança que bambeava em seu dedo.

Ninguém sabe, até hoje, se Boechat achou ou comprou outra aliança. Nem a própria Veruska.

# MINHA MÃE, MINHA OUVINTE

Dona Mercedes, além de mãe, era a principal fã de Boechat. Briguenta, como ela mesma admite, sempre estava colada no rádio ou na TV, atenta a tudo o que ele falava pela manhã na BandNews FM e à noite no *Jornal da Band*: "Adoro uma briga, adoro!".

Todos os comentários que ele fazia eram analisados pela mãe. De Niterói, onde vive, dona Mercedes criticava e respondia na mesma hora ao filho, na frente do rádio ou da TV, toda vez que ele falava, segundo ela, uma besteira.

Mas depois, era raro que fizesse as cobranças na presença dele: "Eu nem lembro depois. Com a idade que eu tenho (87 anos), eu já esqueço. Essa é a grande vantagem de ser velha. A gente esquece muita coisa".

Tinha uma teoria sobre a profissão do filho, que começou lá atrás com Ibrahim Sued, no *Diário de Notícias*: "Quem tem filho jornalista é uma desgraça. Só quer saber de notícia".

# BATE-BOCA ENTRE AMIGOS

Diretor de jornalismo da Band, Fernando Mitre era um dos grandes amigos do Boechat. Estavam sempre juntos, discutindo pautas, reportagens e assuntos do dia a dia. Isso quando não estavam apostando – eles adoravam!

Ambos vinham de uma geração em que as redações, muitas vezes, funcionavam no grito. Eu mesmo vivi isso. E não é nenhum demérito. São apenas formas diferentes de lidar com um mesmo assunto. O velho e o novo.

Um dia, por volta de 17:30 horas (o *Jornal da Band* começa às 19:20 horas), Boechat e Mitre se desentenderam no meio da redação.

Foi uma discussão feia sobre política. O diretor de jornalismo queria fazer a matéria de um jeito e o apresentador, de outro. A discussão virou briga, com um gritando para o outro no meio da redação.

Mitre se excedeu e admite isso: "Eu raramene gritava e, dessa vez, exagerei".

O negócio foi tão longe que Boechat decidiu sair da redação: "Vou embora!".

E Mitre: "Vai mesmo!".

Mitre voltou para a sala dele, pensou muito e decidiu voltar atrás. O objetivo era consertar o estrago. Ele retornou para o mesmo lugar na redação e telefonou para Boechat: "Boechat, eu estou aqui, no mesmo lugar, a redação toda está me ouvindo e eu estou te ligando para pedir desculpa".

Ferido na alma, Boechat de pura sacanagem, respondeu:

"Exijo viva-voz".

Mitre pediu desculpas para todo mundo ouvir e falou um monte de coisas. De volta à Band, Boechat aproveitou a oportunidade para fazer um discurso no meio da redação, exaltando que era assim mesmo, divergindo, que se faz bom jornalismo. Um tempo que não volta mais.

*(E.B.)*

# DIA DE ALQUIMIA: A EXPLOSÃO

Poucas pessoas chamam Boechat de Ricardo. Uma delas é dona Mercedes, personagem fundamental na vida e na carreira do filho. Ela guarda histórias maravilhosas, como a do dia em que Boechat explodiu o banheiro de casa.

Entre tantas estripulias quando criança e adolescente, Boechat vivia correndo da mãe porque sabia que dona Mercedes não pensaria duas vezes se precisasse dar nele a velha palmada. E ela até tem uma teoria sobre isso: "A natureza é tão perfeita que a mão se encaixa direitinho no bumbum". Mesmo se estivesse machucado, se merecesse, não escaparia das mãos dela.

Em um desses dias, Boechat tentou fugir da mãe, que corria atrás dele com um chinelo, e se escondeu no banheiro de casa. Achava que, se ficasse ali, sairia ileso. "Ricardo, abre. Abre porque você tem que apanhar. Ricardo, abre." Nada de Boechat abrir. Dona Mercedes logo falou: "A hora que sair vai apanhar". Podia sair 24 horas depois que a palmada ainda estaria garantida.

De repente, uma explosão e um grito do Boechat. O coração de dona Mercedes saiu pela boca e, mesmo insistindo, Boechat – que não parava de chorar – não abria a porta. Ela mesma a arrombou e encontrou o filho com a cara cheia de sangue. O espelho estava quebrado.

Mas o que tinha explodido no banheiro? Dona Mercedes tinha um armarinho embutido e lá guardava remédios do dia a dia (que não punham as crianças em risco) e outras coisas, como algodão, pasta de dentes e sabonete. Um desses medicamentos era o sal de fruta do pai do Boechat, Dalton Boechat.

Como estava preso no banheiro, Boechat decidiu dar uma de alquimista e misturar os remédios para passar o tempo. Não deu certo. O pote do sal de fruta se transformou em uma bomba e causou toda aquela explosão.

Dona Mercedes, como não é de fazer escândalo, colocou Boechat debaixo do chuveiro. O sangue saía de um corte no supercílio, logo estancado. A promessa da palmada poderia, enfim, ser cumprida. E foi.

# O FUTURO DO PLANETA

Boechat tinha uma preocupação absurda com as transformações do nosso planeta. Não só com o aquecimento global e a destruição das florestas, mas também com pequenas áreas degradadas e malcuidadas pelo poder público.

Em 2017, a BandNews FM no Rio de Janeiro recebeu muitas denúncias de sujeira no parque Lage, no Jardim Botânico, na zona Sul. Tombado pelo Patrimônio Histórico, o espaço – de responsabilidade do Estado – fica aos pés do Corcovado e ainda abriga, além de um palácio, a Escola de Artes Visuais. São 52 hectares, abertos à população, com trilhas e até cavernas.

No ar, depois de dar um sermão daqueles aos turistas e moradores da Cidade Maravilhosa, uma vez que a sujeira que se espalhava era formada por embalagens, plásticos, latinhas e outros resíduos, Boechat decidiu fazer a parte dele: "Não quero a participação de ninguém. Eu vou pagar".

Assim foi. Boechat comprou e doou vinte novas lixeiras – grandes mesmo – para o parque Lage e as entregou à direção do espaço. Todas levavam a logomarca da BandNews FM.

Em fevereiro de 2019, a reportagem da rádio passou pela área e constatou: todas estavam lá. O lixo, enfim, estava sendo jogado no lixo, pelo menos boa parte dele.

# ROCK POR ALEPPO

Boechat buscava não só ajudar pessoas no Brasil, mas, se tivesse a oportunidade, faria o possível para dar a sua colaboração às tragédias mundiais.

Em meio à guerra civil na Síria, que matou mais de 500 mil pessoas e deixou 5 milhões de refugiados, um evento que seria realizado por aqui em 2007 pretendia arrecadar recursos para as crianças atingidas pela crise humanitária.

Com apoio da ONG Save the Children, o Rock por Aleppo reunia bandas como Detonautas e Tihuana e estava com dificuldade para vender ingressos. Boechat decidiu divulgar o show no ar.

Não bastasse isso, comprou cem ingressos e distribuiu entre os ouvintes. O objetivo do evento, realizado na Fundição Progresso, uma das principais casas de show do Rio de Janeiro, era angariar 30 mil reais. Porém, ao final, o valor ultrapassou essa meta.

No Facebook, após a morte de Boechat, representantes da ONG fizeram uma homenagem: "Gratidão eterna ao nosso amado Ricardo Boechat, maior apoiador do Projeto Rock por Aleppo. Descanse em paz".

# CARTILHAS E AUTODESCRIÇÃO

Muitas questões sensibilizavam Boechat, sobretudo aquelas que envolviam as minorias que não tinham a oportunidade de viver como os demais.

No Rio de Janeiro, certa vez, pessoas com deficiência visual estavam com dificuldade para ter acesso a cartilhas informativas em braile, que eram disponibilizadas por estabelecimentos comerciais. Boechat decidiu então apoiar um projeto de autodescrição, que facilitaria a compreensão por todas elas.

Ele mesmo gravou as cartilhas, que fizeram um sucesso enorme entre os moradores da cidade. Pela iniciativa, muitos ouvintes da BandNews FM e o próprio coordenador do projeto, Antônio Renato, ligaram para a rádio e fizeram questão de agradecer.

## UM DIA DE SORTE

Conversa era o que não faltava quando se tratava do Boechat. Ele falava com todo mundo, fosse na rua, no shopping, no restaurante e no rádio – e não poderia ser diferente. A ponte área Rio-São Paulo era mais uma oportunidade de conhecer gente, ouvir histórias e, se precisasse, dar aquela força.

Em uma dessas viagens, Boechat conheceu dois meninos, ambos cadeirantes, que viajavam com a mãe. Eram Thalles Henrique Badan e Victor Augusto Lima.

Boechat conheceu um pouco da história daquela família, ficou sensibilizado e pôs na cabeça que iria proporcionar um dia único para os três.

Assim que o avião pousou no Rio de Janeiro, ele ligou para a redação: "Vamos lá, eu vou passar o número do cartão de crédito da Veruska e vocês vão comprar todos os ingressos necessários para que eles conheçam e visitem a cidade".

Dito e feito: com o cartão da Veruska, a equipe da BandNews FM comprou bilhetes para as principais atrações da cidade. A família visitou, entre outros lugares, o AquaRio e o Pão de Açúcar. E Boechat ainda alugou um carro para que pudessem circular pelo Rio de Janeiro.

# LIGADO EM TOM E JERRY

Conseguir a atenção do Boechat para alguma notícia que estava indo ao ar na BandNews FM nem sempre era uma das tarefas mais fáceis. Inúmeras vezes ele estava lendo uma reportagem, atendendo um ouvinte, falando com alguém na redação ou até mesmo assistindo a um desenho na TV. Sim, o preferido dele era *Tom e Jerry*, que felizmente o Sistema Brasileiro de Televisão (SBT) parou de transmitir. Ele gargalhava vendo o gato e o rato enquanto o programa, com notícias de Brasília, Rio de Janeiro e outras praças, estava no ar.

Muitas vezes, os responsáveis pelo jornal colocavam uma manchete, uma notícia especificamente para Boechat comentar, mas a atenção dele permanecia no desenho. Era, na maioria dos casos, uma notícia escolhida a dedo para ser concluída com um de seus comentários brilhantes. Mas, como numa péssima jogada mal-ensaiada, a bola passava, e isso irritava todo mundo.

Nem me lembro de quantas artimanhas usei para ter a atenção do Boechat em um assunto com o qual ele precisava interagir na rádio. Gritávamos, xingávamos e até repetíamos os áudios de repórteres para ele acompanhar. Sem contar as vezes que jogávamos na direção dele bolinhas de papel, tampas de caneta e outras coisas que estavam ao nosso alcance: "Presta atenção, Boechat! A próxima você tem que ouvir! Desliga isso e ouve o que vai entrar! Boechat, ouve o que está no ar!".

Essa rotina diária era a que mais dava trabalho para quem estava ali, aguardando seus comentários ácidos. Muitas vezes ia ao ar uma bobagem dita por um político ou uma barbaridade qualquer, dessas a que, infelizmente, estamos acostumados, apenas para ele "acordar" e bater.

Mas às vezes a estratégia não surtia efeito, ele ficava irritado e esbravejava: "Por que estão dando espaço para esse cafajeste? Esse otário não fala no meu horário!". A ideia, com ótimas intenções, era sempre fisgar a atenção dele, mas *Tom e Jerry* era quase sempre imbatível.

*(E.B.)*

## EU PAGO O BASEADO

Eu me arrependo de não ter tirado uma foto da carta, mas felizmente essa história ficou famosa na Band porque muita gente ouviu na rádio e viu na TV.

Boechat ajudava financeiramente pessoas que nunca tinha visto, mas especialmente seus filhos e até suas ex-esposas: "Faço isso sem Veruska saber, Barão. Ela ficaria brava demais", confessava.

Além de telefonemas que recebia para quebrar eventuais galhos de todos, quase mensalmente tinha compromissos que não precisaria mais ter legalmente, já que quase todos os seus filhos já tinham mais de 18 anos. Mesmo assim, fazia questão de dar uma mão.

Uma de suas ex-mulheres sempre mandava uma lista com os gastos que a filha teve ou teria tido. Normalmente, era uma carta escrita à mão, mais ou menos assim:

Gastos do mês:
R$ 1.570,00 – Faculdade
R$ 480,00 – Carro
R$ 350,00 – Curso de inglês
R$ 2.780,00 – Aluguel
R$ 670,00 – Maconha
R$ 380,00 – Seda para maconha
R$ 200,00 – TV a cabo
R$ 130,00 – Energia

Ao ler a carta com os pedidos, Boechat falou:

"Para que tanta seda? Se for assim, ela vai passar o mês todo fumando."

E eu rebati quase não aguentando de rir:
"E você vai pagar?"
"Vou, porra! É melhor do que a mãe dela me encher o saco."
Pagou e continuou fazendo a transferência bancária, mesmo sabendo que aquela grana nunca seria usada na compra da erva.

*(E.B.)*

# ÂNCORA DO ZOONEWS

Depois do sucesso no rádio, Boechat não precisava de mais nada. Ele já era o grande âncora da BandNews FM e do *Jornal da Band* e nunca deixou de ser um dos colunistas mais respeitados em todo o Brasil. Quando morreu, ainda fazia a coluna da *IstoÉ*, publicada semanalmente. Tinha a minha ajuda e a do companheiro Ronaldo Herdy.

Mas ele podia mais e queria mais. A primeira surpresa veio da Disney. Em 2015, Boechat foi chamado para interpretar um jornalista no filme *Zootopia*, lançado no ano seguinte. Seria a onça-pintada Onçardo Boi Chá, âncora do *ZooNews*. Ele foi o escolhido no Brasil, assim como outros jornalistas no restante do mundo.

À época, ele disse ter aceitado o convite pelo convívio com a Disney desde o início: "Eu, com seis filhos, não paro de ter contato com ela. Sou capaz de cantar a música de *Frozen* de trás para a frente, graças às minhas filhas Valentina e Catarina".

Não se frustrou quando soube que a participação seria curta: "Eu nunca fiz algo nessa área, mas fiquei mais confortável por ser algo parecido com o que eu faço. Eu me preparei até demais, fiz gargarejo com gengibre, e no final durou apenas 15 segundos a minha participação".

A notícia era sobre a prisão da ex-prefeita Bellwether, uma ovelha, acusada de aterrorizar Zootopia. Boechat entra logo na sequência: "Seu antecessor, Leonardo Léo Rei, nega seu envolvimento com o plano e alega que só quis proteger a cidade".

E não parou por aí. Apaixonado por ciência e natureza, Boechat foi convidado em 2017 para fazer a locução do documentário *Planeta Terra II*, do Discovery Channel. A versão original era com o naturalista David Attenborough, a quem ele admirava demais: "Minha primeira reação foi ter um receio absoluto. Eu já tinha visto a primeira série (lançada em 2006 e vencedora de quatro prêmios Emmy), e Attenborough é um monstro, o trabalho dele é absurdo. Tem uma impostação de voz e uma dramaticidade que eu não conseguiria repetir".

Mas ele aceitou, claro: "Como as comparações com o narrador original são inevitáveis, eu mesmo já as faço e digo que acho a versão inglesa bem melhor".

Coisas de Boechat. Após sua morte, o canal Animal Planet fez uma exibição do documentário no estilo maratona. Foram seis episódios seguidos, que duraram mais de cinco horas.

*(P.F.)*

# "CALA A BOCA, BOECHAT!"

Colunista da *Folha de S.Paulo*, Mônica Bergamo tinha um enorme respeito e admiração por Boechat antes mesmo de entrar na BandNews FM. No começo da carreira dela, Boechat era o cara a ser batido, uma das grandes referências no jornalismo. Escrevendo para *O Globo*, ele tinha a coluna mais lida e a que mais trazia notícias exclusivas na época.

Em mais de dez anos de convivência na BandNews FM, os dois dividiram grandes momentos. Mônica era chamada por ele de "a colunista de todas as manhãs". O grau de exigência era gigante. Isso causava certa tensão. Ela sabia que, junto com a informação, na sequência, viriam as perguntas – e quantas perguntas! Era um sufoco, ela admitia, mas tirava de letra.

De tanto interrompê-la nas manhãs da BandNews FM, surgiu uma das brincadeiras mais gostosas entre os dois: o "Cala a boca, Boechat!". Tudo porque uma tia da Mônica, dona Ruth, ficava chateada com a situação – as interrupções – e dizia: "Ele não deixa você falar". Mônica comentou isso com o Boechat, que adorou.

Ele contou a história no ar, pediu desculpas e não se furtou de fazer o mesmo com a Mônica toda vez que ela não parava de falar – mesmo quando interrompida. Era a vez do "Cala a boca, Mônica!". Muitos até pensavam que os dois estavam brigando – até poderiam estar –, mas na maioria das vezes os dois caíam na gargalhada.

Boechat, na verdade, gostava de testar a paciência da Mônica. Tanto é que, certa vez, ela trouxe uma denúncia na coluna da *Folha de S.Paulo* que envolvia o ex-presidente da Câmara Eduardo Cunha, na época, homem-forte do Congresso. Ao ser questionado sobre a notícia, o deputado falou para os repórteres: "Eu não respondo coluna social". Era uma provocação. O próprio Cunha conhecia – e bem – o trabalho da Mônica.

Depois disso, Boechat passou a usar o áudio toda vez que a Mônica falava do Cunha. Os dois se divertiam. Depois da tragédia, Mônica escreveu na *Folha*:

"Certa vez, no começo da minha participação matinal, ele me surpreendeu: 'Mônica, você vai chorar quando eu morrer?'. Comecei a dar risada. Ele disse algo como: 'Estão vendo, estão vendo?'. E caiu na gargalhada. A hora da despedida chegou. Muito mais cedo do que nós imaginávamos."

# RECONHECIMENTO A QUEM É DE DIREITO

Quebrar paradigmas era algo que Boechat adorava, até porque alguns deles, depois de tanto tempo, não faziam mais sentido.

No jornalismo, qualquer apuração, reportagem, nota têm nome e sobrenome. Pode vir da TV, do rádio ou de um grande jornal em circulação. Mesmo os pequenos têm lá sua importância e publicam o que chamamos de "furo", ou seja, uma notícia em primeira mão.

Nas redações era muito comum – e hoje bem menos – que qualquer notícia dada por outro veículo deveria ser checada e, se confirmada, levada ao ar ou publicada sem o devido crédito de quem a apurou pela primeira vez.

A ideia, na cabeça das direções, era não fazer "propaganda" dos veículos concorrentes.

Mas isso não funcionava para Boechat. Desde que assumiu os microfones da BandNews FM, decidiu, sem nenhum comunicado prévio, dar cara e voz àqueles que, de fato, tinham feito alguma reportagem de repercussão nacional.

Falava, sem se preocupar e com a certeza de que estava fazendo o certo, não só o nome do jornal, revista ou emissora que tinha feito a apuração, mas também dos jornalistas responsáveis.

Falava da CBN e da Jovem Pan, concorrentes da BandNews FM, sem dó. O mesmo acontecia com notícias dadas por jornais como *O Estado de S. Paulo*, *Folha de S.Paulo* e *O Globo*, além de sites como o G1 e o UOL. Foi assim com o caso da Refinaria de Pasadena, as delações da Lava Jato e de tantas outras feitas por outros veículos.

Boechat enxergava no trabalho do jornalista aquilo que, muitas vezes, nem mesmo as próprias redações valorizavam. Era um cara além do seu tempo.

# BRONCAS: SÓ SABE QUEM LEVOU

Boechat não era santo, nem queria ser. O objetivo dele era apenas passar a informação correta e estar munido para fazer os comentários ou dar uma notícia no ar. Todos que trabalharam com ele, sem exceção, foram alvos de seus esporros.

Podia estar no ar ou fora do ar. Fato é que ele não deixava passar se algo estivesse errado. Muitas vezes se arrependia e chegava a pedir desculpa, da forma dele. Na maioria das ocasiões, tentando explicar por que aquilo estava certo ou errado.

Uma das últimas broncas foi dada à produtora e atual coordenadora digital da BandNews FM, Letícia Kuratomi, e viralizou na internet. No UOL, o título era: "Boechat perde a paciência e tem ataque de fúria em programa de rádio".

Isso aconteceu no dia da tragédia no Ninho do Urubu, centro de treinamento do Flamengo, quando dez jovens morreram em um incêndio que começou com um curto-circuito no ar-condicionado. A discussão teve início quando Boechat anunciou a entrevista com um integrante do Corpo de Bombeiros: "Temos outro oficial do Corpo de Bombeiros, o tenente-coronel Douglas. Não? Por que botaram na minha mão, então? Vou devolver esse papel e vocês, quando puderem me acionar adequadamente, me acionem".

Com os microfones desligados, mas tudo registrado na transmissão ao vivo, ele começou a discutir com Letícia Kuratomi. Boechat gesticulou e mostrou o papel para ela, como uma forma de cobrança. Estava, de fato, bem nervoso.

Nas redes sociais, muitos o criticaram, mas quem trabalhava com ele sabia que aquele era um dos muitos "pitis" já dados por Boechat.

A discussão aconteceu poucos dias antes de sua morte e a Letícia resumiu o que viria pela frente – ou não mais viria: "Ainda não consigo acreditar. Não pode ser que não vai ter mais SMS, ligação, e-mail, briga, bronca, risada. É inacreditável que você não vai aparecer amanhã às sete horas. Não consigo acreditar".

Laura Ferreira, meteorologista e apresentadora da Band, assim como outros, aprendeu muito com os erros cometidos ao lado do Boechat. Certa vez, tomou uma bronca ao tratar uma chuva que castigou o Rio de Janeiro como um transtorno. Foram dez minutos de esporros, no ar:

"Laura, transtorno não é aquilo. Transtorno é eu ficar parado no congestionamento. Aquilo lá foi um dilúvio. Aquilo lá mata pessoas. Não é assim que você tem que falar."

E falou mais:

"Eu não estou falando com a Laura que eu conheço. Estou te entrevistando. Então, faz o favor de me responder."

Ele tinha uma teoria para tudo: "Você tem que falar de maneira simples, para que as minhas filhas Valentina e Catarina ou para que o seu Adamastor e a dona Juventina entendam. Então, Laura. Não entre aqui para falar termos técnicos que isso não me interessa."

Boechat sabia aonde queria chegar e quem atingir. E o mais importante: as brigas nunca saíam do estúdio. Acabavam ali.

# NA RETÓRICA E NA INTELIGÊNCIA

Algo inquestionável em Boechat era o poder de síntese e o dom da palavra. Conseguia construir um raciocínio gigante – falava por mais de dez minutos na abertura do programa da BandNews FM – sem perder o fio da meada. Era, sem dúvida, o melhor no que fazia.

Atualmente âncora da CBN, Tatiana Vasconcellos trabalhou por seis anos ao lado do Boechat, entre 2010 e 2016. Durante a programação especial pela morte do Boechat, ela resumiu, como ninguém, quem era o jornalista Ricardo Boechat com o poder do microfone:

"O que mais me impressionava no Boechat era a imensa e, talvez inigualável, capacidade de se comunicar. Quando ele abria o jornal às 7:30 horas, ele escolhia o assunto e dizia: 'Eu vou falar sobre esse assunto'. Boechat então falava de improviso, com referências históricas, com exemplos anteriores, num raciocínio encadeado muito impressionante. E, mais surreal, ele conseguia voltar do ponto de onde partiu e fazer uma conclusão, um raciocínio fechado, lógico."

Segundo a própria Tatiana, e tantos outros como nós que o acompanhávamos todos os dias, isso é uma coisa que ninguém tem no jornalismo de hoje. E dificilmente teremos outro Ricardo Boechat.

# O AMOR PELA NOTÍCIA

Sabe lutador de jiu-jítsu que tem aquela orelha toda deformada? Então, Boechat também tinha, mas por outro motivo.

Foi pelo amor à notícia. Dizem os mais antigos que aqueles calos foram conquistados de tanto ficar com o telefone colado na orelha para apurar informações à época em que foi colunista, passando pelo *Diário de Notícias*, *O Globo*, *Jornal do Brasil*, *Estadão* e pela revista *IstoÉ*.

Sucessor de Ibrahim Sued, Boechat foi um dos melhores em tudo aquilo que fazia. No colunismo, ganhou três prêmios Esso, a mais importante premiação do país, que existiu até 2015.

Além dos calos nas orelhas, Boechat tinha outro hábito. Era característico, quando estava falando com alguém, às vezes com mais de duas pessoas ao mesmo tempo, colocar a gravata para trás do pescoço. Seria um rito – ou apenas uma demonstração de desconforto?

Rodolfo Schneider, então diretor da Band no Rio de Janeiro, trabalhava ao lado do Boechat todos os dias e tinha o Careca como um segundo pai.

"Boechat era inigualável. Ele não passava despercebido na vida de ninguém. Se ele passasse dez segundos na vida de alguém, ia marcar a vida daquela pessoa. Ou ele falaria alguma coisa, daria um abraço ou abriria um sorriso. Ele não veio ao mundo a passeio."

Rodolfo começou como estagiário, na época em que o diretor da emissora era o próprio Boechat. As salas ficavam frente a frente, e Rodolfo tinha até medo dele. Mas aprendeu demais ao acompanhar o dia a dia daquele fenômeno.

No início, ouviu dele:

"Alemão, se eu estiver em campo, é para fazer gol. Se eu estiver em campo, é para defender. Se eu estiver em campo, é para comer a grama. Comigo só trabalha se for assim. Eu só vou fazer se for desse jeito."

E fez.

# AMARELO PISCANTE?

Boechat tinha acabado de desembarcar em São Paulo. Era o segundo dia como apresentador da BandNews FM.

Como sempre, abriu o jornal: "Eu sou Ricardo Boechat e nós vamos ficar juntos até às 9:00 horas, com as nossas praças e nosso time de colunistas e comentaristas".

Na abertura do primeiro noticiário local, Luiz Megale, que fazia o jornal ao lado dele, disse que um semáforo da avenida Faria Lima, em São Paulo, estava no amarelo piscante.

"Como é que é? Como é que é? Amarelo o quê? Amarelo piscante? É a cor da tua calcinha, Megale? O que é amarelo piscante?", perguntou Boechat.

E o Megale tentou explicar:

"Não, aqui em São Paulo o pessoal sabe."

Mas não adiantou:

"Que amarelo piscante, meu irmão? Fala aí o que está acontecendo."

E o Megale, enfim, explicou:

"Não, o sinal está piscando porque não está funcionando."

Boechat ficou convencido:

"Tá vendo como é mais fácil? Tá quebrado."

# FILHOS E MAIS FILHOS

Quando conheceu a Doce Veruska, Boechat – vinte anos mais velho – já tinha quatro filhos e não esperava ter mais. Pouco tempo depois, no entanto, os planos mudaram.

Na época, a futura esposa tinha uma coluna no jornal *Gazeta de Vitória*. Os dois se viram pela primeira vez em 2003, no Encontro Internacional do Vinho do Espírito Santo, em Pedra Azul, uma cidade na região serrana do estado. Ela era colunista de variedades e achou Boechat muito educado, romântico e gentil: "Ficou grudado em mim. Falou que ia ler minha coluna e tudo o mais", contou.

Os dois começaram a trocar mensagens e, um mês depois, Veruska foi para o Rio de Janeiro. Cobriria, na época, a posse da escritora Ana Maria Machado na Academia Brasileira de Letras. Boechat aproveitou a oportunidade e a levou para jantar. Os dois começaram a namorar.

Logo no início, alguém – não se sabe quem – mandou para ele uma mensagem com uma entrevista dela, falando sobre o futuro e a vida pessoal. Em uma das respostas, ela dizia: "Eu quero ser mãe, eu quero ter filhos".

Em um dos primeiros jantares, daquele do tipo bem romântico, Boechat soltou: "A propósito, eu vi uma entrevista sua. Você quer ter filhos, né?".

Veruska foi direta: "Olha, eu não abordaria esse tipo de assunto agora. Mas, já que você perguntou, deixa eu te dizer o seguinte: eu estou adorando sair com você, estou vivendo um momento muito feliz, mas, em algum momento, eu quero ter filhos. Poderei tê-los com você ou não".

Foi ali que Boechat percebeu que a conta de quatro filhos cresceria para cinco ou seis, como de fato aconteceu, com a chegada de Valentina, em 2006, e de Catarina, em 2008. Ele já tinha Beatriz, Rafael, Paula e Patrícia, todos adultos.

Com a chance de a prole crescer ainda mais, Veruska sugeriu que ele fizesse uma vasectomia. "Tudo bem, claro. Vamos fazer."

Veruska marcou horário em uma clínica, e Boechat foi para conversar com o médico. O médico começou a explicar quais eram os riscos (quase nulos) e quanto tempo levaria a cirurgia. Boechat ouviu e achou que marcaria outro dia para fazer o procedimento.

Ao final, o doutor perguntou: "Você entendeu tudo, senhor Boechat? Então, vamos levantar e ir para a sala de cirurgia".

Foi assim, de surpresa, que Boechat entrou na faca.

# MILTON NEVES, O PITONISA

Pitonisa = profeta, adivinhador, aquele que consegue prever o futuro. Assim era como Ricardo Boechat se referia a Milton Neves. O apelido se dava pelos palpites, que passavam longe do placar, ditos pelo rei do "merchan" do rádio e da TV nos microfones da BandNews FM.

A relação era de amor e ódio (muito mais amor), mas às vezes Boechat perdia a paciência. Foi assim em 2015, quando Milton tentou fazer mais um "merchan" de forma disfarçada. Ele falava sobre a criação de um centro esportivo de alto rendimento da família Diniz, controladora, até então, do Pão de Açúcar e de outras grandes empresas.

"Vai nascer agora, no começo de março, o NAR – Núcleo de Alto Rendimento Esportivo de São Paulo –, [...] em Santo Amaro, lá estaremos..."

Foi interrompido por Boechat:

"Pitonisa, isso é de quem? Essa obra?"

"Essa obra é do João Paulo Diniz", respondeu Milton.

Boechat continuou:

"Mas eu acho o seguinte, Milton. Numa boa, manda ele botar um anúncio."

"Não, Boechat. Não é anúncio..."

Milton é interrompido de novo:

"Não me interessa. Liga para o Diniz. Diz que ele é maravilhoso. Janta com ele. Se é público, vamos nessa. Mas coisa privada, esse oba-oba..."

Os dois ficaram discutindo por mais de dois minutos até

que Tatiana Vasconcellos chamou os jogos da rodada – sobre os quais ele palpitava todos os dias.

E foi assim que surgiu uma das mais brilhantes brincadeiras com Milton Neves. O Pitonisa, além de participar na BandNews FM, entra em todas as outras rádios do grupo Bandeirantes.

Boechat, uma vez, teve a ideia de juntar todos os palpites dados pelo Milton nas rádios, e a conclusão, claro, foi a que todos imaginavam.

Em cada rádio, ele dava um palpite diferente. A justificativa: pelo menos um palpite iria acertar. De fato, o Pitonisa fazia jus ao apelido.

# "CADÊ A PAULINHA?"

Boechat era um recordista de perder coisas e até mesmo pessoas – por que não a filha?

Separado pela primeira vez, Boechat tinha o costume de pegar as crianças nos fins de semana e levar para a praia em Niterói, onde cresceu e antes vivia com a antiga esposa.

Mas não parava por aí. Ele gostava mesmo era de juntar a garotada. Além dos três filhos, vários amigos deles. O limite era o espaço da Variant, carro da década de 1970, em que cabia tudo e mais um pouco. A estratégia era baixar o banco de trás e abrir uma espécie de salão para acomodar toda a galera. Muitas viagens eram feitas com os filhos dormindo em um colchonete colocado no porta-malas. Segundo ele, se assemelhava à primeira classe de uma companhia aérea árabe.

Em uma das vezes, Boechat estava sozinho para cuidar de quase dez crianças. Tinha gente dentro da água, do lado de fora, fazendo castelo e jogando bola. Na hora de ir embora, naquele negócio de "lava a bunda", "tira a areia do pé", "troca de roupa", ele foi colocando um por um na Variant. Ligou o motor e foi embora.

Passados dez minutos, Boechat deu uma conferida e se desesperou: "Cadê a Paulinha?".

Sim, ele havia largado a filha na praia. Sem saber se a encontraria ou não, deu meia-volta, desceu do carro voando, olhou para onde tinham estado na praia e se acalmou: ela estava lá brincando, no mesmo lugar, e nem notou que havia sido deixada para trás.

Puxou o pai.

## DEIXA QUE EU CHUTO!

Boechat passou a infância e a adolescência em Niterói. Era apaixonado por futebol, não pelos clubes, mas pelo jogo mesmo: a pelada de todas as semanas. Jogava desde os dez anos de idade na praia de São Francisco e tinha um apelido: Pato Feio ou Pato Rouco.

Não era um craque, longe disso, e passava a partida inteira na banheira. Tinha um único objetivo: fazer gols. Ninguém sabia quem era Ricardo Boechat. Tinha que perguntar pelo Patinho.

Visto que não daria certo com a bola, o pseudoatleta decidiu trocar a areia pelo jornalismo. Foi uma surpresa para quem convivia com ele. Quem estudava com Boechat, no entanto, sabia que a praia dele era escrever.

Certa vez, foi fazer um trabalho em Paris, já como jornalista. Na sexta-feira, ele já estava livre, mas tinha mais dois dias na cidade que adorava. Voltaria apenas no domingo. Não quis nem saber. Foi até a companhia aérea e explicou que tinha um compromisso. Assim, conseguiu antecipar a volta e, no dia seguinte, estava lá de novo, para o futebol de todos os sábados, nas areias da praia de São Francisco.

Na escola, não era diferente. Admitia que chegou a matar aula só para jogar futebol. Mais velho e já conhecido no jornalismo, ele mesmo passou a combinar as peladas. E não pense que o jogo era apenas repleto de estrelas. Nada disso. Misturava o diretor, o ex-jogador, o empresário e também os estagiários, os motoristas e todos aqueles que quisessem bater uma bolinha.

# VENDEDOR DE JAZIGOS

Boechat não fez faculdade. Parou no secundário, o antigo ensino médio. Na época, os alunos optavam pelo curso científico, voltados para ciências e exatas, ou pelo clássico, com foco em filosofia e línguas. Eram os três anos que precediam o vestibular. Por gostar da área de humanas, Boechat escolheu o curso clássico.

No segundo ano, Boechat largou os estudos, estava cheio, como ele mesmo dizia. Aquilo não correspondia mais aos anseios dele, que queria ganhar dinheiro, ter independência e morar sozinho. Sair de casa, segundo ele, era algo muito presente na sua geração.

Boechat resolveu procurar emprego. Foi à luta de verdade. Tudo isso antes de começar no jornalismo, no *Diário de Notícias*, em 1971. Ele olhava os classificados dos jornais todos os dias.

Mas no currículo não tinha quase nada:
- Ricardo Eugênio Boechat
- 17 anos
- Secundário incompleto
- Sem experiência
- Não fala inglês
- Fluente em espanhol

Seu primeiro trabalho foi ao lado do pai, Dalton, e da mãe, dona Mercedes, como revendedor de livros, de várias editoras e coleções. Mas, paralelamente, Boechat continuou procurando um emprego fixo, que lhe rendesse um salário no fim do mês.

Depois de bater em algumas portas, Boechat viu um anúncio de emprego do Cemitério Parque Jardim da Saudade, uma novidade no Rio de Janeiro. Eles estavam formando equipes. O anúncio não dizia que a vaga era para vendedor de jazigo, e Boechat foi até lá. Chegando ao lugar, ficou interessado mesmo assim. Ele queria um salário, com carteira assinada. Mas Boechat não conseguiu o emprego porque era menor de idade.

O jornalismo, como ele mesmo dizia, foi um acidente. Mas, depois de um tempo, veio a certeza de que havia nascido para isso.

# A 5ª SÉRIE B POR TRÁS DOS MICROFONES

"Tirem as crianças do carro", gritava Boechat toda vez que José Simão indicava que na sequência viria uma piada, digamos, mais pesada. Mas o que ninguém sabia é que as piadas, brincadeiras ou histórias que rolavam nos intervalos do programa da rádio também não eram destinadas ao público infantil. Quer dizer, as tais brincadeiras internas eram feitas pelas nossas crianças interiores.

Depois que as transmissões do rádio passaram a ser exibidas nas redes sociais, muitos ouvintes começaram a nos ver nos intervalos, às gargalhadas no estúdio, e sempre queriam saber o motivo. Normalmente, eram idiotices ou baixarias que faço questão de revelar aqui, mas já aviso: "Tirem as crianças do livro".

Boechat era um excelente desenhista. Sempre tinha à mão uma caixa de lápis de cor, que usava, inclusive, no intervalo do *Jornal da Band* para desenhar o que lhe vinha à cabeça. Só que apenas Freud talvez explique por que ele tinha fixação em desenhar pintos! E lógico que depois fazia questão de dar de presente para alguém. Eu recebi uns cinquenta desenhos de todos os tipos e tamanhos. Alguns até dobráveis, dependendo da criatividade do dia.

Uma vez ele e Luiz Megale, que também desenhava bem, competiram para saber qual era o pinto mais realista, e eu tive a honra de ser o juiz. Era como Tatiana Vasconcellos dizia, "Chegou a 5ª série B". Mas não era só isso. Os intervalos eram cercados de trocadilhos imbecis, em meio ao noticiário sempre duro do dia a dia. Antes do acidente, com Carla Bigatto no estúdio, a diversão era a famosa brincadeira do "Você conhece o Mário?", só que com os nomes mais complicados possíveis, como:

"Você conhece a Astrid?"

"Que Astrid?"

"As tridimensionais bolas do meu saco."

Dizem que médicos, em meio a cirurgias, falam sobre amenidades enquanto o paciente está anestesiado. Essa era nossa hora do recreio, nossa válvula de escape. Ali aparecia o genial jornalista de carne e osso.

Como sempre gostou de contar histórias, algumas eram reveladas em pílulas nos intervalos do jornal da BandNews FM. Uma delas (e já falei para tirar as crianças do carro) Boechat contou para mim, mas com vergonha porque Carla estava no estúdio.

"Fala logo, Boechat. Para com isso!"

"Então, é o seguinte: eu estava no Rio de Janeiro, solteiro, na minha casa, no Leblon, num fim de semana, com os filhos grandes e sem porra nenhuma para fazer. Decidi pegar os jornais e vi que nos classificados tinha anúncios dessas agências de garotas de programa. Nunca tinha pedido, não era do meu feitio, mas decidi testar. Eu liguei e um cara me atendeu perguntando que tipo eu queria. Aí eu disse: 'amigo, me manda uma mignon, não gosto de mulher grande'."

"Fechado, às 18:00 horas ela chega aí."

Na hora combinada, toca a campainha. Quem aparece? Uma anã. O cara entendeu que mignon era anã.

"Mas e aí, Boechat?", perguntei.

"E aí, nada, Barão. A moça entrou, conversamos, tomamos um drinque, paguei e ela foi embora. Nunca mais pedi garota de programa na vida."

*(E.B.)*

# O ASSALTO NO VIVA-VOZ

Boechat não perdia a oportunidade de contar uma boa história e não perdoava nem a mãe ou a esposa. Mesmo de longe.

Na África do Sul, onde fazia a cobertura da Copa do Mundo de 2010, ficou sabendo que dona Mercedes e a Doce Veruska tinham sido assaltadas durante um passeio em São Paulo. Boechat, ao lado do grande jornalista esportivo Mauro Beting, decidiu narrar e gravar a história, por sinal, maravilhosa.

Do outro lado da linha, Veruska contava os detalhes e Boechat repetia:

"Quatro caras entraram na Casa do Churro no Tatuapé, onde a minha mãe obrigou minha mulher a ir porque ela leu em algum lugar que eram churros ótimos."

Ao fundo, Mauro Beting gargalhava, claro, junto com Boechat:

"Chegaram lá, um lugar aberto, sem porta, um frio do cão, em uma esquina erma, um breu! Comeram os churros. Minha mãe descobriu que o dono da casa de churros era catalão. E ficou conversando. Contou para ele que viu o anúncio do lugar na revista do avião. Era uma nota de gastronomia."

As gargalhadas só aumentavam:

"De repente, entraram quatro caras. Um foi direto na Veruska e mandou: 'Me dá a bolsa, me dá a bolsa. Quero dinheiro, dinheiro, dinheiro'. E Veruska deu a bolsa."

Enquanto contava, Boechat caía na risada:

"O cara tentou levar a bolsa, e minha mãe, Mercedes, começou a xingar em espanhol. Aí, a Veruska mandou a babá sair com as meninas e entrar no carro. Enquanto isso, a minha mãe corria para bater nos bandidos."

Cada vez ficava mais engraçado:

"Quando os caras tentavam entrar no carro de outro cliente, minha mãe tirou os sapatos, foi atrás deles e começou a dar sapatadas, gritando com os bandidos e com todo mundo que não reagia com o palavrão em espanhol: '*Hijos de una puta!*'. Depois, elas entraram no carro e saíram dali."

Dona Mercedes conseguiu recuperar a bolsa de Veruska. Do outro lado da linha, Veruska dizia que não foi nada engraçado. Mas ainda tinha o desfecho:

"Como levaram o celular da minha mulher, elas ficaram sem GPS para voltar. A minha mãe fez questão de passar em um shopping antes. Para comprar um celular? Não, sapatos novos porque os dela foram embora junto com os bandidos."

Depois, a própria dona Mercedes admitiu que se excedeu.

# BASQUETE: A BOLA DE PAPEL

Boechat era cheio de rituais para tudo. Para entrar no ar, para arrumar a bagunça, para ler jornais e até para brincadeiras que gostava de fazer com a redação.

Uma deles começava quando ele ia ao banheiro – dizia que a próstata não ajudava. Saía do estúdio, abria a porta da redação, entrava à direita e logo estava no sanitário masculino da Band. Todos já sabiam o que esperar. Boechat lavava as mãos e, com os papéis que as enxugava, fazia uma bola. Era uma bola de tamanho razoável. Quando ele voltava, a redação parava – por quê?

Ele entrava pela porta de vidro, olhava para ver se todos estavam atentos e mirava na lata de lixo que ficava atrás do estúdio. Adorava fazer aquilo, sobretudo quando chamava a atenção das pessoas. Nunca se sabia onde a bola cairia de verdade. A média de acerto, para quem acompanhava, era de 10%, mas ele nunca admitia.

Uma vez, faltando menos de um minuto para o jornal entrar no ar, ele e eu decidimos fazer uma aposta. Quem acertasse... não ganhava nada!

Fizemos as bolas, miramos e... nada! Esse era um dos nossos divertimentos.

(P.F.)

## PERDEU? EU TAMBÉM

Se juntassem Mauro Beting e Ricardo Boechat, alguém voltaria para casa sem alguma coisa. Perder ou esquecer para os dois era uma espécie de hobby. Na Copa do Mundo de 2010, na estreia do Brasil contra a Coreia do Norte, os dois eram os únicos entre os mais de cem profissionais da Band sem luvas, em meio ao frio de Johannesburgo, na África do Sul. Mauro chegou a sentar nas mãos para aquecê-las, mas a boca tremendo não o ajudava a entrar no ar.

Durante a cobertura do Mundial isso virou brincadeira. Os dois passaram a competir para ver quem era mais esquecido. O filho do grande jornalista Joelmir Beting, parceiro do Boechat por muito tempo no *Jornal da Band*, achou que venceria essa competição:

"Chupa, Boechat! Perdi ontem à noite aquele cartão de crédito pré-pago de viagem. Foi bem no caixa eletrônico."

Boechat perguntou:

"Que horas? Ontem à noite? Chupa, você! Eu perdi ontem de manhã."

# JANTAR ENTRE INIMIGOS: PETRALHAS X COXINHAS

Não importava o assunto, Boechat recebia críticas de todos os lados com seu comentário de abertura, todos os dias, às 7:30 horas na BandNews FM. O curioso é que um único comentário gerava opiniões completamente opostas.

Se falasse da Dilma, era porque falou da Dilma e era chamado por muitos de defensor da petista e, por outros tantos, de antipetista. Se fosse do Aécio, era porque citou algo do Aécio e, de novo, era criticado por defender e era criticado por atacar o político, a partir do mesmo comentário. O mais curioso é que, independentemente do teor, tanto os de direita como os de esquerda se irritavam.

Boechat se divertia com isso e pedia, quase que diariamente, para que eu e Carla Bigatto lêssemos as mensagens para ele, e muitas iam para o ar.

Na época do impeachment ou das ações da Lava Jato, por exemplo, era chamado de coxinha ou petralha depois de um comentário. A interpretação dependia do ouvinte. Ele se questionava: "Eu fiz a mesma abertura, e os caras, dos dois lados, me detonam?".

Um dia Boechat se irritou e pediu o telefone de dois ouvintes. Um de cada lado. Era uma moça do Rio de Janeiro e um cara de São Paulo. Boechat ligou para os dois e marcou um jantar – e pagou – para os dois ficarem discutindo se ele era petralha ou se era coxinha.

Nem mesmo Boechat sabe qual foi o veredicto porque

não participou do encontro. Mas, com certeza, o debate deve ter sido inesquecível.

*(E.B.)*

# "O QUE É INSTAGRAM?"

O mundo girava e Boechat girava com ele, muitas vezes no sentido contrário. Era avesso às redes sociais até que a Band deu o ultimato: "Boechat, você precisa ter um perfil no Facebook". Ele não queria. Achava que o celular já era demais.

Ele não sabia sequer como entrar na página da rede social de Mark Zuckerberg. Instagram, nem pensar! "O que é Instagram?", perguntava.

A saída foi terceirizar. Doce Veruska foi a escolhida para publicar os textos, as fotos e os vídeos do marido. Ele até tentava, mas só na hora da "galhofa".

Foi assim quando apareceu tomando vacina de sutiã, por exemplo. O vídeo foi um pedido da Veruska para estimular que outras pessoas se imunizassem contra a gripe. Mas era só para fazer o vídeo, e não a "graça".

As ideias, muitas vezes, eram do próprio Boechat, mas no dia a dia a tarefa de executá-las ficava nas mãos da Veruska. Era ela quem publicava os vídeos do *Jornal da Band* ou algum texto que ele escrevia, como o da depressão.

Ele sempre reclamava, mas, no fundo, adorava saber que estava compartilhando parte da vida pessoal e do sucesso com outras pessoas, como fazia no rádio e na TV.

Morreu com quase 1,5 milhão de seguidores no Facebook. A última postagem é uma foto da mão da Doce Veruska com as duas alianças – dela e dele – no dedo.

"E no meio de tanta dor, recebi o melhor presente que eu poderia receber, já sem esperanças de conseguir. Meu coração é só amor. Te amo para sempre, Ricardo Boechat. Da sua Doce Veruska."

Até a publicação deste livro, essa postagem tinha mais de 3.500 comentários.

# ALMOÇO SAGRADO: A HORA DA FAMÍLIA

"Boechat, vamos almoçar juntos?"
"Não dá."
"Boechat, eu pago."
"Não dá."

A hora do almoço era sagrada na vida de Boechat. E isso tinha uma explicação.

Quando se mudou para São Paulo com a família, ele entrava na BandNews FM às 7:00 horas, e não às 7:30 horas como fazia nos últimos anos. Então, não via as filhas acordadas antes da escola e só voltava para casa às 21:00 horas, depois do *Jornal da Band*. E como Valentina e Catarina eram pequenas, elas dormiam cedo.

Doce Veruska – sempre ela – avisou: "Você tem que passar mais tempo com a família". Então ficou combinado – ou determinado – que a hora de estar com a família seria a hora do almoço. Ele saía da BandNews FM às 11:00 horas e ia direto para casa.

Quando renovou seu contrato com a emissora, ganhou mais trinta minutos para ficar com as meninas antes da escola e, como já eram maiores, mais um tempo à noite. Mesmo assim, o horário sagrado, de todos sentados à mesa, permaneceu. Como Veruska era do Espírito Santo, não conhecia tanto a cidade de São Paulo. E dizia: "Eu não tenho família aqui. O que vou fazer se nem te vejo?".

Sempre que questionada, a resposta da Doce Veruska era

simples: "É só você explicar a sua rotina e que você tem família. As pessoas vão entender".

Ela sabia que, se desse moleza, ele abusaria.

# A ESPERA NO ALTO DA ESCADA

Além da mulher e das filhas, sempre tinha mais alguém esperando Boechat chegar do trabalho. Depois do *Jornal da Band*, o horário era marcado. Lá estava Nina, uma spitz alemã, pequena e clara, no topo da escada, na entrada da casa, sabendo que logo, logo ele estaria com ela.

A relação entre os dois era de amor incondicional mesmo. Nina, segundo Veruska, foi adotada depois de sofrer maus-tratos dos antigos donos e pertencia às filhas Catarina e Valentina. Sendo assim, Boechat era o avô. E tinha um cuidado absurdo com ela. Se não tivesse horário no *pet shop*, por exemplo, era ele quem dava banho nela na pia ou no tanque – e a secava também.

A cadelinha era educada a ponto de Boechat levá-la ao trabalho, quando tinha viagem programada ao Rio de Janeiro. Depois da apresentação do *Jornal da Band*, ele e Nina pegariam a ponte aérea para encontrar a família que viajara mais cedo. Nina ficava atrás dele, solta, na bolsa de viagem.

Depois da tragédia, uma foto da Nina foi postada no Instagram da Veruska e teve mais de 150 mil curtidas. E ela ainda não se acostumou com a ausência dele: "Toda noite ela fica no alto da escada esperando ele voltar da Band", disse Veruska.

# OS QUILOS A MAIS EM SÃO PAULO

São Paulo oferecia a Boechat algo que não se encontra em todas as cidades do Brasil: uma gastronomia diversificada, premiada e cheia de bons pratos. O efeito disso na vida dele foram uns quilos a mais. Quando chegou à capital, com seus 1,68 metro de altura, pesava setenta quilos.

Ele adorava sair com Veruska e comia tarde, sem se preocupar com calorias, o que não favorecia muito e o impedia até de fazer a digestão antes de dormir. Apesar de o jantar estar pronto em casa, muitas vezes ele chegava pilhado depois do *Jornal da Band* e inventava de conhecer um novo lugar.

Não só a comida, mas os vinhos também sempre o atraíam. Um dos restaurantes preferidos do casal era o japonês Kosushi, no Itaim Bibi, na zona Oeste.

A combinação dos jantares com a falta de exercícios, claro, não poderia ser outra: os quilos a mais, dos quais, virava e mexia, ele sempre se queixava. Apesar de reclamar do ganho de peso – morreu com 77 quilos –, Boechat nunca chegou a ficar obeso. Apenas comparava sua figura, agora freguesa da gastronomia paulistana, com a silhueta do magrelo peladeiro das praias cariocas.

# O PRIMEIRO E ÚLTIMO LIVRO

Dizem que toda pessoa, antes de morrer, precisa ter filhos, plantar uma árvore e escrever um livro. Boechat teve seis filhos, ajudou o meio ambiente como poucos e, sim, é autor de um livro publicado na década de 1990. *Copacabana Palace: um hotel e sua história* recuperou a memória do famoso hotel onde ele chegou a trabalhar, como assessor de imprensa.

Sempre que questionado, era enfático: "O único e último! Nunca mais quero escrever um livro. Exige muito tempo, muita dedicação e esse não é o meu estilo".

A obra traz os bastidores do Copa, inaugurado em 1923, ao abrigar celebridades e autoridades. Lá estão hóspedes ilustres como Carmen Miranda, Ava Gardner, Lady Di, Janis Joplin e Madonna. Nesse livro ele lembra ainda o episódio em que o ex-presidente Washington Luiz foi baleado pela amante, a marquesa italiana Elvira Maurich, durante uma discussão em um dos quartos.

São, ao todo, 184 páginas em que Boechat repassou, à época, os 75 anos do hotel, com ilustrações do fotógrafo Sérgio Pagano, trazendo detalhes, como o brilho dos botões colocados nos uniformes dos funcionários.

O próprio Boechat se casou com a Doce Veruska no Copacabana Palace. Os dois namoraram um ano e meio antes. Nas redes sociais, ela recordou: "Tínhamos combinado de convidar trinta pessoas cada um. Eu convidei trinta (até hoje tenho parentes que não falam comigo por não terem sido chamados), ele convidou 120". A grana, segundo ela, era curta, mas por causa da relação antiga que ele tinha com o Copa, deram a eles um megadesconto.

Boechat até poderia escrever um novo livro e chegou a admitir que seria diferente: "Eu escreveria ficção. Ficção que utilizasse elementos da realidade".

# ALMOFADINHA, SENÃO DÓI

Pudor não era o forte de Boechat. Ele não se privava de contar qualquer história escalafobética ou constrangedora aos ouvintes da BandNews FM. Isso incluía intimidades, segredos e até problemas de saúde. Ele sempre dizia: "Eu não sou no ar diferente do que sou na vida".

Foi assim no caso da hemorroida. Como tinha se ausentado da rádio, Boechat não queria dar brecha para interpretações erradas, como "ele foi demitido" ou "ele foi afastado". Os boatos já circulavam.

Em 2014, ele foi obrigado a dar uma pausa de uns dois dias para uma cirurgia. E, na volta, foi direto ao falar nos microfones da BandNews FM: "Olha, minha gente, eu fiquei afastado porque fui fazer uma cirurgia de hemorroida".

A reação, tanto dos ouvintes quanto de quem estava no estúdio, foi apenas rir. Mas Boechat via de outra forma e enfatizou: "Era como se o cu não tivesse relevância. Por que a hemorroida tem que ser tratada na clandestinidade?".

A cura se deu em seguida, com Boechat carregando de um lado para outro a almofadinha que aliviava a dor na hora de sentar no período pós-cirúrgico.

# NUNCA É TARDE PARA SE REINVENTAR

Todo jornalista que trabalha com informações de bastidores e notas exclusivas coleciona fontes nos mais diversos setores, do poder público à iniciativa privada. É com o material colhido que, diária ou semanalmente, publica a coluna que, via de regra, leva o seu nome.

Foi assim com Boechat ao longo dos mais de trinta anos em que trabalhou no jornal *O Globo* e, por lá, ganhou dois prêmios Esso, o mais importante do jornalismo.

Em 2001, em mais uma apuração, ele colhia informações para publicar uma reportagem sobre a guerra travada por grandes grupos pelo controle de companhias de telefonia celular.

Tinha como fonte, à época, o amigo e compadre Paulo Marinho, então assessor de Nelson Tanure, acionista do *Jornal do Brasil* e aliado da canadense TIW na disputa com o Banco Opportunity, de Daniel Dantas.

Grampeado ilegalmente, Boechat, que assinava a coluna mais lida de *O Globo*, teve as conversas publicadas pela revista *Veja*. Em uma delas, a que causou a sua demissão, ele leu para Paulo Marinho a reportagem que seria publicada no jornal.

Não havia, no entanto, nenhuma menção a práticas ilegais. Tanto que o próprio Boechat afirmou, publicamente, que seu interesse era pela notícia e, por causa do trabalho, falava com pessoas de todo tipo. E isso foi uma verdade até seu último dia por aqui.

Não adiantou. Depois de 31 anos, foi demitido pelas

Organizações Globo, onde também participava do programa *Bom Dia Brasil*, na TV.

Na mesma época, publicou um artigo em que chegou a reconhecer o mal-estar, mas não por dinheiro ou dolo (intenção de fazê-lo), e questionou a decisão do jornal: "Cruzei a barreira da boa conduta profissional por um motivo tolo: vaidade. A vaidade de me supor em posição de prestígio nos dois maiores jornais de minha cidade cegou a autocrítica com que sempre procurei orientar minha atividade jornalística".

E concluiu:

"Quem me iniciou nos caminhos do colunismo foi Ibrahim Sued, de quem fui 'foca' em minha distante juventude. Aprendi com ele que a matéria-prima do colunista são as notas em primeira mão. A coluna que assinei em *O Globo* consagrou-se entre as mais lidas do Brasil graças à capacidade de chegar à notícia antes das outras. Seu acervo de furos, alguns de enorme repercussão, foi construído a partir de relações que mantive com todos os tipos de informantes, fossem eles bem-intencionados ou não, fossem eles figuras de reputação ilibada ou nem tanto. Muitos dos diálogos que possibilitaram momentos memoráveis a *O Globo*, garimpados por minhas orelhas, talvez ruborizassem os neotalibãs da mídia e alguns analistas da ética jornalística, mas tanto uns quanto outros ganham a vida longe da apuração de notícias. Pois informo a esses teóricos de mãos limpas: é dura a vida de um repórter. O colunista às vezes fala frases impróprias, lida com sujeira, publica notas que prejudicam negócios e pessoas. Mas ele procura sempre a verdade. Obtê-la, de preferência com exclusividade, é a sua recompensa."

Boechat, desempregado havia alguns meses, chegou ao Grupo Bandeirantes e se tornou um maiores e mais queridos jornalistas do Brasil. Ganhou ainda uma coluna, com seu nome, na revista *IstoÉ*.

# O DIA DO ENCONTRO
# COM REINALDO AZEVEDO

Reinaldo Azevedo e Ricardo Boechat tinham opiniões muito divergentes. Isso ficava claro, por exemplo, quando ambos tratavam de um mesmo assunto da Lava Jato. Um era – e ainda é – mais legalista, e o outro, mais passional. Chegaram, no passado, a mandar recados um ao outro quando estavam em casas diferentes. Reinaldo apresentava o *Pingo nos Is* na Jovem Pan e era colunista da *Veja*. Boechat estava na BandNews FM e fazia a coluna na *IstoÉ*.

Em 2001, quando Boechat foi demitido de *O Globo*, Reinaldo chegou a escrever um texto na *Veja* explicando todos os motivos que levaram o jornal a tomar aquela decisão. Um deles era o fato de o colega de profissão ter sido grampeado ilegalmente. Contou toda a história, mas deu a entender que Boechat tinha ido além do bom jornalismo.

Em 2017, 16 anos depois, o alvo do grampo ilegal foi Reinaldo Azevedo. O jornalista teve uma conversa com Andrea Neves, irmã de Aécio Neves, vazada pela Lava Jato. Nada de ilegal foi gravado, mas o suficiente para sair tanto da *Veja* quanto da Jovem Pan.

Foi pego de surpresa quando o próprio Boechat, ao saber de sua saída, defendeu que Reinaldo fosse contratado pela Band, exatamente para trabalhar na BandNews FM, onde ganhou o programa *O É da Coisa*. Após a tragédia, reconheceu o apoio:

"Quando, há pouco menos de dois anos, fui alvo de uma safadeza do Ministério Público Federal ou da Polícia Federal, com a colaboração de vagabundos disfarçados de jornalistas – jamais se saberá a autoria porque a 'investigação' não chegou aos criminosos –, deixei a emissora em que trabalhava (Jovem Pan). Boechat imediatamente se solidarizou e passou a defender a minha contratação pelo Grupo Bandeirantes. Deixei o emprego anterior numa terça e conversei com a direção do Grupo Bandeirantes numa sexta. Na segunda seguinte, estreava *O É da Coisa* na BandNews FM."

A direção do grupo sabia que, uma hora ou outra, os dois se encontrariam no ar – fora dele, não havia nenhum tipo de rusga. E isso, claro, causava certa apreensão, por não saber o que viria de cada um dos lados. O encontro se deu no dia 5 de abril de 2018, durante a cobertura da prisão do ex-presidente Lula. E partiu de Reinaldo Azevedo a primeira frase:

"Boa noite, querido Boechat!"

"Boa noite, querido. Reinaldo Azevedo e eu, que somos as duas pessoas mais odiadas da rádio BandNews FM, por razões opostas, o que é mais sensacional."

"Agora, eu não sei. A direita o odiava, porque dizia que você falava o que a esquerda queria ouvir. E comigo era o contrário. A esquerda me odiava porque dizia que eu falava o que a direita queria ouvir. Hoje, certamente, eu falei coisas que a direita detestou ouvir", disse Reinaldo.

"Você, agora, é amado pelo PT e eu virei odiado. Queria, inclusive, convidar você para fazer um dueto aqui no ar: *eu prefiro ser essa metamorfose ambulante...*", cantarolou Boechat.

E concluiu: "As coisas estão muito escalafobéticas".

Ninguém naquele momento tinha a razão absoluta, e ambos sabiam disso.

## LARGA A MINHA CADEIRA!

Nas redações do Grupo Bandeirantes, as cadeiras são, na maioria das vezes, todas iguais no formato e da mesma cor – vermelhas. Mas, sem muita explicação, cada um se acostuma com a sua. Tem gente que até coloca o nome para não correr o risco de usar outra. Rola até briga se a sua cadeira não estiver no lugar. Boechat era muito chato com isso, tanto na BandNews FM quanto na TV.

Em um dos tantos dias que trabalhou no *Jornal da Band*, Boechat chegou à redação e percebeu que a cadeira dele não estava no lugar, o qual estava simplesmente vazio. Isso o deixou puto!

Boechat percorreu todas as baias e achou a digníssima: estava na mesa da então chefe de redação, Débora Cunha. E, então, decidiu deixar uma marca para que ninguém, nunca mais, usasse a sua cadeira: "Quero ver, agora, alguém sentar na minha cadeira", esbravejou. Pegou um canetão e desenhou um pênis na cadeira. Nem a pegou de volta, foi embora e desceu para a maquiagem, onde se prepararia para o *Jornal da Band*.

Quando Débora chegou, ela – assim como Boechat – ficou furiosa. O desenho estava perfeito, como só ele sabia fazer. A chefe quase fez um escândalo: "Quero saber quem fez isso. Pode puxar as imagens das câmeras. Eu vou demitir a pessoa que fez isso".

Ela achava que algum funcionário a estava desrespeitando, tirando com a cara dela, *trollando* a chefe. Até que Nana Matos, a produtora que trabalhava com Boechat, se aproximou dela e falou bem baixinho:

"Débora, eu acho que você não vai demitir quem fez isso."
"Claro que vou. Quem é? Quem é?"
"Boechat."
A chefe não se conteve:
"Filho da puta. Cadê esse Careca para me zoar?"
No fim das contas, todo mundo caiu na risada.

# MINHA CADEIRA 2: A OBRA DE ARTE

Assim como na TV, na BandNews FM, Boechat também tinha uma cadeira de estimação. Era velha, com o couro todo desgastado e alguns pequenos buracos. Só passava por reforma, contrariando-o, quando ele saía de férias.

Diferentemente da redação do *Jornal da Band*, na rádio todo mundo respeitava o lugar dele, mas não deixava de usá-lo para apresentar os demais jornais do estúdio. O importante era que estivesse no mesmo lugar às 7:30 da manhã. Boechat, na BandNews FM, não tinha uma baia na redação, apenas o seu lugar no estúdio.

Logo após a tragédia, não fazia mais sentido que a cadeira ficasse por ali. Depois de uma conversa com a diretora Sheila Magalhães, anunciei ao vivo a aposentadoria da cadeira, no dia seguinte à queda do helicóptero.

Essa foi a primeira transmissão do programa sem Boechat. A cadeira estava no mesmo lugar, com uma camisa do PGN, o Partido da Genitália Nacional, criado pelo amigo José Simão, presidente da legenda imaginária. Boechat era seu vice. Estavam no estúdio comigo Luiz Megale, Rodolfo Schneider, Rodrigo Orengo, Laura Ferreira e Tatiana Vasconcellos, que trabalhavam ou trabalharam com ele ao longo dos últimos anos na rádio:

"Eu só quero dizer que essa cadeira aqui, bem aqui na minha frente, onde ele se sentou por 13 anos, vai ser aposentada. Ninguém nunca mais vai se sentar nessa cadeira. Ela será eternamente do Boechat. Então, assim como qualquer time de futebol que pendura camisas, a gente vai pendurar essa cadeira. É dele para sempre."

Claro que a cadeira não ficaria no estúdio para sempre, mas seria para sempre do Boechat. E a ideia era que se tornasse uma espécie de homenagem ao Careca de todas as manhãs, como era chamado por nós.

A peça, velha e desgastada, foi entregue ao artista plástico Alê Jordão, o mesmo que transformou o primeiro Twingo do Boechat em várias peças de arte. Três meses depois da morte dele, a nova cadeira do Boechat foi apresentada no aniversário de 14 anos da rádio, que contou com a presença da Doce Veruska, das filhas Valentina e Catarina e de sua mãe, dona Mercedes.

A cadeira foi toda decorada com luzes de neon na cor laranja e, atrás, leva uma espécie de leme, uma alusão à frase tão famosa do Boechat: "Toca o barco".

*(E.B.)*

# AS ESCAPADAS NO CELULAR

Foram tantas vezes que não caberiam nem em cem páginas. Fato é que Boechat não conseguia se desligar da notícia, dos ouvintes e do celular, cujo número ele mesmo dava diariamente no ar. Ele sabia que, a cada mensagem, a cada ligação, haveria uma história diferente e, muitas vezes, um furo ou um pedido de ajuda.

Fora do trabalho, nos fins de semana ou nas férias, a Doce Veruska, pensando no bem-estar de todos, proibia o uso do telefone, mas não adiantava!

Boechat se escondia no banheiro ou em qualquer outro canto, longe dos olhos da família, para espiar e encaminhar mensagens para as redações de São Paulo e do Rio de Janeiro.

As mensagens de texto – Boechat nunca usou o WhatsApp – eram lidas e encaminhadas em questão de segundos, até porque era o tempo que ele tinha. Eu mesmo, como fazia com ele a coluna da *IstoÉ*, recebia algum SMS quando menos esperava.

No ar, ele admitia as escapadas, mesmo correndo o risco de tomar uma bronca da Veruska. Se não fosse descoberto, a conta do celular o entregaria, especialmente quando viajavam para os Estados Unidos e a Europa.

*(P.F.)*

# DUAS VIATURAS, QUASE CEM PROCESSOS E UMA DERROTA

Boechat não acumulou apenas prêmios ao longo da vida. Tinha também um acervo de processos, vindos de todos os lugares possíveis.

Um dos episódios mais marcantes envolveu a Polícia Militar de São Paulo. Foi em setembro de 2013, quando duas viaturas da PM ocuparam uma faixa da avenida Washington Luiz, uma das principais vias da cidade, no acesso ao túnel Paulo Autran, diante do risco de um protesto perto do Aeroporto de Congonhas.

Os veículos oficiais travaram o trânsito e deixaram o jornalista revoltado, até porque não havia nenhum sinal de manifestação, prejudicando quem se locomovia pela metrópole. Boechat até pediu ajuda do repórter Robson Ramos, que estava no helicóptero da BandNews FM:

"Você que está no helicóptero da Band, sobrevoando o Aeroporto de Congonhas, poderia jogar um tijolo ou fazer pipi nessas duas viaturas, que, por ato próprio, decidiram fechar uma pista do Corredor Norte-Sul?"

E continuou:

"Eu queria perguntar ao comandante da PM, coronel Benedito Meira, que atitude disciplinar ele vai tomar contra esses idiotas? Manda esses caras descascar batata [...]. Tem o idiota cabo, o idiota sargento, o idiota major, o idiota tenente."

Boechat se tornou alvo de quase cem processos, motivado por associações e sindicatos de policiais. No Departamento

Jurídico da Band, se acumulava uma pilha de ações movidas por PMs que se sentiram ofendidos. Pediam indenização por danos morais, afirmando que Boechat desqualificou e desmoralizou o trabalho da tropa.

No fim das contas, os processos não prosperaram, e a PM não soube explicar o motivo pelo qual manteve as viaturas no local mesmo com a ausência de protestos.

Por essas e outras, a equipe jurídica da Band vivia ocupada com os processos movidos contra Ricardo Boechat.

Políticos eram outros de seus alvos. Em 2009, ele desejou o fim de todos os descendentes de Antônio Carlos Magalhães (ACM), ex-governador da Bahia, ex-ministro das Comunicações e ex-presidente do Senado, falecido em 2007. Foi processado por ACM Neto, mas se livrou de qualquer punição. Estava em uma época de cassar clãs que tomaram conta do Brasil, como os Sarney, os Gomes e os Barbalho.

No caso de ACM, um detalhe: não se sabia se o fax que servia de enfeite na mesa da Jaqueline Moss, secretária de redação, funcionava ou não, mas quando Boechat desejou a morte de toda a família, o aparelho se mostrou eficiente. A ação chegou por ele.

Outro caso emblemático envolveu a ex-ministra da Pesca, Ideli Salvatti. Boechat a chamou de "baleia".

A defesa achou a saída perfeita: Boechat a chamou de baleia para dar a dimensão de que ela abarcava muita responsabilidade. Tudo tinha a ver com o estilo ácido e a forma do próprio Boechat de se comunicar.

A única exceção – ou derrota – aconteceu no caso Boechat X Roberto Requião. O Careca foi condenado a fazer trabalhos comunitários pelo crime de calúnia. Em 2011, acusou o ex-senador de corrupção e nepotismo ao defender o então repórter da Rádio Bandeirantes, Victor Boyadjian, que teve o gravador arrancado pelo ex-governador do Paraná e disse até ter levado um soco. Depois, o repórter voltou atrás.

Todos os outros processos foram arquivados ou encerrados.

# MARGARETH E O BRASILEIRÃO DE 2009

O Fluminense estava na lama. Para os especialistas, não havia outro desfecho, a não ser a degola! A previsão era certeira e, claro, ratificada ao vivo na BandNews FM pelo comentarista esportivo Milton Neves.

Logo depois de Milton Neves prever que o Fluminene seria rebaixado para a segunda divisão, Boechat, contrariando a lógica e a matemática da tabela, decretou fora do ar: "O Flu não cai". Ao lado dele, Luiz Megale, então apresentador do jornal, garantiu:

"Já caiu, Boechat. Já era! Se não cair, pode me chamar de Margarete."

Boechat segurou Megale pelo braço e o desafiou a dizer para os ouvintes o que havia dito em *off*. Megale foi obrigado a falar e ainda arrumou confusão com a torcida do Fluminense:

"Recebi várias mensagens violentas", disse o jornalista.

Depois da troca de técnicos, os matemáticos chegaram a apontar que o Tricolor tinha 99% de chances de cair. Mas uma surpreendente arrancada começou na 27ª rodada, com o empate contra o Corinthians. O Flu não perdeu mais, e o milagre se concretizou no 1 X 1 contra o Coritiba. O Time de Guerreiros, comandado pelo atacante Fred, escapou do rebaixamento.

Era a hora de Luiz Megale pagar a aposta. Na segunda-feira, Boechat o encontrou e começou a gargalhar.

"Hahahahahaha, Margareth! Se fodeu, hahahahaha!"

A brincadeira durou pelo menos duas semanas. Na Band-

News FM, Luiz Megale havia se tornado "Margareth".

Na hora de começar o noticiário, o Boechat não perdoava:

"Bom dia aos ouvintes, bom dia Cassia Godoy [âncora que dividia o estúdio], bom dia Margareth..."

Numa entrevista ao vivo com um senador, Boechat chegou a perguntar:

"Alguma pergunta, Margareth?"

Sabendo que não faria Boechat mudar de ideia, Megale decidiu embarcar na brincadeira. E, no meio do bate-papo com o parlamentar, disse:

"Boechat, notei que pronunciou meu nome com 'th'. Por favor, me respeite. Meu nome é Mar-ga-re-te, com 'e'."

# HORROR A CHEFES

Boechat sempre admitiu: não gostava de chefe. Apesar de entender a necessidade de uma estrutura hierárquica e de ter sido chefe em diferentes momentos de sua carreira, ele tinha horror a padrões e ordens, principalmente quando pensava diferente. Por isso, a relação entre as duas partes não era muito pacífica e, na TV ou na rádio, as discussões eram frequentes.

Aos 27 anos, o então chefe de reportagem da Rádio Bandeirantes, André Luiz Costa, foi chamado para assumir a direção de jornalismo da BandNews FM. Sua missão, além de implantar um veículo novo num mercado altamente competitivo, incluía lidar com um veterano casca grossa como Boechat, que passou a comandar o noticiário matutino com a saída de Carlos Nascimento.

Boechat fazia exatamente o contrário do que era determinado. Se você quisesse que ele falasse algo no ar, jamais deveria lhe contar isso – com raras exceções.

Era comum, por exemplo, quando recebia ordem de não dar uma notícia, apenas para que fosse mais bem-apurada, ele, sem titubear, a mandasse para o ar.

"Olha, ainda estamos apurando, mas a informação que temos até agora é que..."

Não havia nenhum tipo de censura. Era apenas um jornalismo diferente de tudo aquilo que havia sido visto em uma emissora de rádio. Boechat ia construindo a notícia com a ajuda dos ouvintes. No fim, Boechat, que não queria ter nenhum cargo de chefia, acabava diariamente exercendo essa função, com suas lições e constantes desobediências.

Para ele, o mais importante era valorizar a liberdade criativa das pessoas, premiar a ousadia, premiar o incorreto, premiar o irreverente, premiar quem sempre vai um pouco – ou muito – além do que é considerado padrão.

A ideia era que valia muito mais a pena ter pessoas que ultrapassassem os limites do que aquelas que atuassem dentro do espaço pré-delimitado ou preestabelecido.

Foi nas conversas com Boechat que André Luiz Costa aprendeu – assim como tantos na rádio – que ninguém seria como ele, tão irreverente, eloquente e, muitas vezes, chato.

André Luiz Costa saiu da BandNews FM para assumir o cargo de diretor executivo de jornalismo da TV, onde continuou discutindo e aprendendo com o Careca no *Jornal da Band*.

# O DIA DO ADEUS: NÃO ERA A HORA

Foi o pior dia na história da BandNews FM. Não era para ser assim. Ninguém estava preparado. Ele estava no auge e nós também.

No dia da tragédia, 11 de fevereiro de 2019, Boechat tinha chegado mais cedo ao Grupo Bandeirantes, às 6:00 horas. Foi de táxi (o Twingo havia ficado no pátio na sexta-feira) e seguiu direto para o camarim. Por volta das sete da manhã, como de costume, se dirigiu até a rádio e cumpriu seu ritual, mas não por completo. Como o Ricardo Valota (nosso jornalista noturno) folgava na madrugada de domingo para segunda, o café daquele dia era o da máquina mesmo.

Sentamos, ele e eu, no pátio da Band, discutimos o que tinha de mais importante e, como eu precisava resolver outras coisas, o deixei ali até que voltasse para a redação.

No ar, no último comentário de abertura, lembrou duas tragédias, Brumadinho e CT do Flamengo, além de tantas outras sem solução ou punições. Citou um levantamento feito pelo jornal *O Globo* sobre os dez últimos grandes casos sem nenhuma sentença da Justiça. Isso sempre o incomodava – e muito!

No estúdio, Barão, ele e Carla Bigatto falavam de assuntos diversos e riam como sempre. Ele contou que tinha um evento de uma indústria farmacêutica, a Libbs, em Campinas, no interior de São Paulo, e perguntou:

"Barão, Campinas é longe?"

"Nada, uma hora, Boechat."

Ele não fazia questão de ir de helicóptero, mas a Libbs, que o contratou, marcou a participação dele no evento para logo depois de ele sair do ar. Os horários eram quase incompatíveis. Mas não se importou, pois estava feliz por ter passado um fim de semana como poucos, ao lado de todos os filhos, o que era muito raro.

Logo depois do jornal, fez o caminho até o heliponto da Band. Eu fumava um cigarro e conversava com uma das produtoras do evento. Vi o helicóptero, que seria pilotado por Ronaldo Quattrucci.

Na redação, tocamos o barco sabendo que no dia seguinte ele estaria novamente ao nosso lado. Soube que ele encerrou o evento em Campinas com uma piada sobre os carecas:

"Esse negócio de ficar careca não é nenhuma vantagem. 'É dos carecas que elas gostam mais.' Isso é tudo mentira da grossa. Só os carecas dizem isso. Comecei a perder cabelo, estou (quase) com 67 anos, por volta dos quarenta, por aí."

Mas ele não voltou para os microfones da BandNews FM. Às 12:20 horas chegou uma notícia que nos preocupou: "Ouvintes da rádio BandNews FM informam a queda de um helicóptero agora no Rodoanel, na região da via Anhanguera, na Grande São Paulo. Ainda não há informações de feridos".

O Corpo de Bombeiros, logo depois, falava em dois mortos: "O porta-voz do Corpo de Bombeiros de São Paulo, Marcos Palumbo, confirma dois mortos na queda de um helicóptero no Rodoanel, na região da via Anhanguera".

Ao ver as primeiras imagens, comecei a chorar e fui direto falar com nossos chefes. Pus o capitão Marcos Palumbo para conversar com a nossa diretora Sheila Magalhães. Não queríamos acreditar. O mundo desabou!

Nana Matos, que trabalhava com Boechat na TV e organizava a agenda dele, trouxe o dado que confirmava a tragédia. O prefixo era o mesmo do helicóptero contratado pela empresa. Boechat e o piloto estavam mortos.

Nessa hora, Barão estava no ar no BandNews TV dando a notícia da queda de um helicóptero, ainda sem saber quem estava a bordo. Felipe Felix, nosso gerente de jornalismo, ligou três vezes para a chefia do canal, mas nada de tirarem Barão do ar. O próprio Felipe decidiu falar diretamente. Ele e Carla Bigatto foram ao estúdio para dar a notícia. Barão caiu em prantos e desceu correndo para a rádio. Não era possível. Por que daquele jeito? Por que tão cedo?

Seguramos a informação o máximo que pudemos. A preocupação, naquele momento, era avisar a família, incluindo Veruska, as duas meninas e dona Mercedes. De todos os veículos da imprensa, somente a *Veja* – que causou sua demissão da Globo em 2001 – não respeitou e deu a notícia antes do aviso pela Band, por meio da coluna de Maurício Lima. Os outros esperaram.

Assim que veio a confirmação, Barão e Sheila tiveram a triste incumbência de levar a pior notícia na história da BandNews FM aos nossos ouvintes. Pela primeira vez a rádio saiu do ar. Era o início de um luto que nos atingia diretamente na alma.

Coube à Sheila informar a tragédia:

"Lamentamos profundamente informar que o nosso âncora Ricardo Boechat estava a bordo do helicóptero que caiu na rodovia Anhanguera, na região do Rodoanel, em São Paulo. Boechat foi a Campinas hoje, apresentou o noticiário da BandNews FM logo pela manhã e estava no interior para um evento de um laboratório farmacêutico. Foi a bordo de um helicóptero, acompanhado de um piloto, e retornava a São Paulo. Pegou o helicóptero às 11:50 horas e pousaria aqui no Grupo Bandeirantes por volta das 12:15 horas, o que não aconteceu. Depois de alguns minutos, conseguimos a confirmação do prefixo do helicóptero que caiu e esse número batia. Era o helicóptero do Boechat. É com profunda tristeza que informamos que o nosso âncora de todas as manhãs estava a bordo do helicóptero que caiu há pouco na Anhanguera. Estão aqui no estúdio eu, Barão e Carla Bigatto também, que todos os dias dividiam o microfone com Ricardo Boechat."

Barão mal conseguia falar:

"É uma notícia que nos pegou de surpresa. Hoje, Boechat, conversando comigo e com Carla, perguntava se Campinas ficava muito longe de São Paulo. Ele está aqui faz muitos anos, mas ainda perde a noção de distância. Falamos que era pertinho, uma hora. Nos últimos tempos, ele vinha fazendo muitos eventos. Era o maior jornalista do país. Ele se deslocava de avião, de helicóptero [...] e agora surge essa notícia da perda do nosso companheiro de todos os dias. Que fez a BandNews ser o que é hoje. Uma rádio de referência para todos nós e que colocou o ouvinte como o principal parceiro. E a gente dá essa notícia tão triste que é a perda do nosso companheiro de todos os dias. Mas Boechat já deixou a marca dele no jornalismo, nas nossas vidas e na vida da BandNews. E a gente se pergunta: por que ele não pegou um carro daqui até Campinas? [...] Mas ele tinha a lógica dele e jamais imaginou que seria vítima de uma queda de helicóptero. Ele tem uma história no jornalismo linda e nunca estudou jornalismo. E teve enorme sucesso por onde passou [...]. É uma perda gigantesca. Um cara admirável. Quantas vezes ele não parou para uma foto?

Quantas vezes ele ajudou alguém? Ele tentava enxergar o lado que ninguém via. E é isso."

Carla também falou:

"A gente não consegue acreditar quando acontece. E a gente passou um tempo se questionando: É verdade mesmo? Será que ele não entrou nesse helicóptero? Será que ele não está em um carro? Será que não está chegando?"

Sheila decidiu tirar a rádio do ar por algum tempo:

"A gente pede a compreensão dos nossos ouvintes. É uma tragédia e muito próxima da gente. Da nossa vida, da nossa vida pessoal, porque a gente se envolveu com o trabalho da maneira mais profunda possível. Assim é a equipe da BandNews FM. É a sensação de estar perdendo um familiar. Então, peço a compreensão dos nossos ouvintes porque Boechat sempre falou que essa é uma rádio feita por gente, para a gente. E nós, nesse momento, precisamos de um tempo, um tempo para a gente. Por isso, momentaneamente, a programação da BandNews FM estará fora do ar."

Mesmo sendo muito difícil, era a hora de prestar todas as homenagens possíveis àquele cara que nos ensinou muito – ou quase tudo. Mas, antes disso, fomos até a casa dele levar uma palavra de conforto à Doce Veruska e às pequenas Valentina e Catarina.

O dia foi longo, difícil e terminou com uma justa homenagem preparada pelo Grupo Bandeirantes. O *Jornal da Band* foi encerrado apenas com os aplausos de todos aqueles que trabalharam com Boechat, momento que ficará eternizado na memória.

*(P.F.)*

# O VELÓRIO: AMIGOS, FÃS E CONFORTO

Depois de um dia cansativo, difícil, angustiante, triste e tantos outros adjetivos para a família e todos aqueles que trabalhavam com ele, chegou o momento de mostrar ao mundo o quanto Boechat era querido e respeitado.

O velório foi realizado no Museu da Imagem e do Som (MIS), nos Jardins, em São Paulo, e reuniu milhares de pessoas, entre fãs, amigos e colegas de profissão, familiares e autoridades. Perto do caixão, dona Mercedes e Doce Veruska faziam questão de cumprimentar um por um.

Forte como poucos, dona Mercedes fez o relato mais emocionante e aproveitou aquele momento para elogiar o que o filho sempre apoiou:

"Tenho muito orgulho do homem que foi meu filho. Um homem honesto, correto e sincero. Era um homem que falava com o faxineiro, com um mendigo de rua, com o mesmo carinho que falaria com qualquer outra pessoa. Não existe uma raça superior. Tem tanto valor um porteiro quanto um médico, porque cada um desempenha o seu trabalho com dignidade e cada um é importante para toda a sociedade."

E disse mais:

"Nós não vamos acabar com os problemas sociais enquanto não mudarmos nossa cabeça e exigirmos dos que estão acima de nós, que querem mandar, o respeito que o povo tem que ter e merece ter. Tem que nos dar respeito, e não caridade pública, mas respeito. Que os hospitais nos atendam com decência, que os colégios públicos sirvam para as crianças aprenderem realmente para poderem crescer. Trânsito ordenado; não é porque o meu carro é melhor do que o seu que vou passar na sua frente, entende? Temos muito que aprender."

E brincou:

"Quando nasceu, o médico disse para a minha mãe: 'Ainda bem que é um menino porque é muito feio'. Só que assim como o patinho feio, com dois meses era um bebê muito bonitinho, bocão grande, aqueles olhinhos muito vivos, carinha cor-de-rosa, carequinha; quando começou a falar, com um ano e pouco, começou a falar perfeitamente."

Do lado de fora, taxistas – sempre defendidos por Boechat – fizeram uma carreata como forma de adeus.

Ele era ateu, mas a Doce Veruska resumiu a essência do marido:

"Meu marido era o ateu que mais praticava o mandamento mais importante de todos, que era o amor ao próximo, porque sempre se preocupou com todo mundo, sempre teve coragem. E é muito difícil fazer o que ele sempre tentou fazer. Então, com erros e acertos, como qualquer pessoa, tenho muito orgulho dele."

Essa era a essência do Boechat. Lidar com a vida, de maneira séria, se preocupando com os demais, mas sempre encontrando um momento para nos fazer sorrir.

Ele foi cremado no cemitério Horto da Paz, em Itapecerica da Serra, na Grande São Paulo.

# O PRIMEIRO DIA DAS MÃES SEM ELE

Boechat não lembrava data alguma. Segundo dona Mercedes, nem de nascimento, nem de casamento, nem de aniversário.

Dia das Mães, se deixasse, passaria despercebido. Não de propósito, mas porque, como já dissemos, esquecer fazia parte do dia a dia do Boechat: "Ele só vem passar o Natal aqui com a gente porque é a Veruska que empurra". Mas ele tinha a quem puxar, de acordo com a mãe: "O pai, por exemplo, não sabia nem quando tinha casado, nem com quem".

Argentina de nascimento e brasileira de coração, dona Mercedes é mãe de sete filhos – além do Ricardo, o nosso Boechat, Carlos Roberto, Alexandre Alceu, Sérgio, Dalton, César e Beatriz – e perdeu dois em vida: Ricardo e a única mulher, a Bia, que morreu aos 16 anos de uma hepatite malcurada. Vem da mãe a força da família e o lado inconformado do Boechat.

Logo após a tragédia com o helicóptero, ela escreveu – e a BandNews FM levou ao ar em sua própria voz – um texto emocionante sobre o Dia das Mães. Era para falar sobre a perda. E, principalmente, dar apoio àquelas mães que passaram pela mesma dor que ela:

> No segundo domingo de maio festejamos as mães, as biológicas, as adotivas, as presentes e as ausentes. Lembranças de nossa infância e dos nossos filhos vêm à nossa mente. Beijos, abraços, presentes e a felicidade de estarmos juntos, mas há outro grupo de mulheres que nesse dia o coração fica mais apertado. São aquelas que quando passam escutam murmurar:

"Coitadas, perderam o filho". Isso não é verdade! Não perderam nada, elas tiveram um filho, que permanece em sua mente e em seu coração. Que tiveram com eles sonhos, esperanças, sofrimentos, frustrações, com os quais riram e choraram, que os viram aprender a andar, a levantar-se, a cair, a pular, a ler, a escrever e que depois escolheram seus caminhos. Enfim, que se fizeram homens e mulheres. Sim, os tivemos pulando dentro de nós, são parte de nós. Não importa em qual parte do caminho eles deixaram de percorrer, mas eles nos deixaram sua presença, permanecem em nossa mente, estão vivos em nosso coração. Os sentimentos daquilo que eles nos deram permanecem em nós. Por isso, devemos festejar essa data, pois sempre seremos mães. Feliz Dia das Mães.

*Mercedes Carrascal*